Un week-end
à la pêche

À Francis, un authentique pêcheur…

Direction : **Catherine Saunier-Talec**
Responsable éditoriale : **Tatiana Delesalle-Féat**
Responsable artistique : **Antoine Béon**
Conception graphique : **Marine Le Breton**
Adaptation et réalisation : **Éditédito**
Fabrication : **Amélie Latsch**

L'Éditeur remercie Iris Dion pour son aide précieuse et efficace.

Un week-end
à la pêche

～ Sommaire ～

～⊘ Avant-propos ⊘～

Il n'existe aujourd'hui que peu d'activités nous permettant de toucher du doigt le réel, l'essentiel, le vivant, de ressentir le frisson d'un contact rapproché avec une nature fascinante trop souvent absente de nos quotidiens urbains faits d'écrans, de béton de bureaux et d'appartements.

Pourtant il n'en n'a pas toujours été ainsi. Pour nous tous en tant qu'hommes modernes, mais aussi pour vous en tant que lecteur adulte qui, un jour, a été un enfant. Un enfant pour qui samedis après-midi ou grandes vacances à la campagne étaient le théâtre d'aventures imaginaires extraordinaires faites de balades en vélo, d'explorations en forêt, de batailles dans les dunes et de constructions de barrages dans les ruisseaux.

De beaux souvenirs sépia sur fond de fins d'après-midi lumineuses, qui ressurgissent parfois lorsque les premiers rayons de soleil dardent votre peau au sortir de l'hiver ou que l'odeur de l'herbe coupée du square rappelle à votre mémoire celle des foins du mois d'août. De beaux souvenirs que tous nous replions avec bienveillance au fond du coffre de notre mémoire et ne ressortons qu'épisodiquement à l'évocation d'une enfance heureuse.

Ce livre vous propose d'ouvrir ce coffre. De dépoussiérer vos souvenirs et de leur redonner vie. Ce livre vous donne la possibilité de ressentir à nouveau les parfums de la nature un petit matin d'été. Il vous donne l'occasion de renouer avec les aventures de votre enfance et les joies simples d'une vie en extérieur. Ce livre c'est un aller simple vers la vie dont vous rêvez le matin quand vous trépignez dans les bouchons ou que vous courez après votre métro.

Ce livre vous propose de vous retrouver en pleine nature, le temps d'un week-end, le temps d'une aventure personnelle, d'une bouffée d'oxygène, d'une pause dans votre quotidien. Une aventure centrée sur une activité étroitement liée au vivant, à l'essentiel : la pêche en eaux douces.

Ce livre se propose de vous guider dans la découverte de cette activité passionnante, mais surtout de vous accompagner dans la préparation de votre week-end. Pas-à-pas, vous découvrirez les milieux dans lesquels pêcher, les espèces de poissons que vous traquerez, le matériel fascinant du pêcheur, mais aussi toute l'organisation nécessaire pour préparer votre petite aventure, une myriade de trucs et astuces pour réussir votre première partie de pêche et enfin de nombreuses recettes de cuisine à déguster pendant la partie de pêche ou au retour de celle-ci, bien au chaud près de la cheminée.

Ce livre, c'est l'occasion de reprendre les aventures imaginaires de votre enfance là où vous les aviez laissées, le réel en plus.

Bonne lecture, et bonne pêche !

Avant la pêche

Cette fois c'est décidé, vous avez pris la décision de vous jeter à l'eau et de commencer à préparer votre petite aventure. Bravo ! Pour autant, ne vous imaginez pas partir à l'aube avec un couteau suisse, deux cannes à pêche et vivre ainsi le rêve qui vous tient tant à cœur ! Il tournerait vite au cauchemar et vous reviendriez bredouille, dégoûté de la pêche, votre coffre à souvenirs fermé pour longtemps...

Car quitter tout un week-end son petit nid douillet pour s'immerger en pleine nature ne s'improvise pas.
À fortiori quand vous vous lancez dans une activité aussi captivante que la pêche qui requiert un matériel spécifique, mais aussi quelques connaissances de base à propos du milieu naturel dans lequel vous allez pêcher et de la réglementation de la pêche en eau douce.

Au-delà de ces premières questions liées à l'activité même de la pêche, d'autres tout aussi nombreuses, et tout aussi fondamentales, méritent d'être soulevées avant votre départ : quand partir ? Où ? Comment construire votre bivouac ? Comment dormir ? Comment vous habiller ? Que manger ? Etc.

C'est à toutes ces interrogations que la première partie de cet ouvrage se propose de répondre.

La petite encyclopédie du pêcheur

Parce que la pêche est un monde bien à part avec ses codes, son langage, son matériel, ses techniques, mais aussi ses bizarreries, ce chapitre en forme de « leçon de choses » réunit toutes les connaissances théoriques que vous serez amené à utiliser lors de votre week-end. Mais inutile d'apprendre le tout par cœur avant votre départ ! Vous pourrez piocher les informations sur les techniques de pêche au fur et à mesure de la préparation de votre expédition, ou bien utiliser l'ouvrage sur place, lorsque vous aurez besoin d'identifier un poisson par exemple.

Quand partir à la pêche ?

Qui a déjà fait la rencontre d'un pêcheur revenant bredouille aura sans doute entendu ce dernier se plaindre de la mauvaise météo, du vent et de la saison dont les intempéries contrarient la bonne marche de l'écosystème... Ou encore de la journée qui est passée trop vite et ne l'a pas laissé autant qu'il l'aurait souhaité exprimer son art de la pêche ni utiliser ses techniques préférées.

Superstitions, connaissances acquises théoriques et expériences propres forgent chez chaque pêcheur des convictions concernant la météo et les conditions idéales qui font mordre le poisson. Malgré tout, derrière ce folklore propre au monde de la pêche se cachent de précieuses informations à prendre en compte lors de la préparation de votre week-end.

Réglementation et dates d'ouverture de la pêche

La pêche étant une activité impactant directement l'équilibre fragile des écosystèmes d'eau douce, une réglementation définissant les moments et les lieux autorisés à la pêche a été mise en place. Il est indispensable de la connaître et de la respecter sous peine de poursuites.

Les lieux de pêche sont classés en deux catégories. La première regroupe les milieux aquatiques dans lesquels la truite ainsi que les poissons de la famille des salmonidés sont majoritaires. La seconde rassemble les autres plans et cours d'eau dans lesquels les cyprinidés, comme la carpe par exemple, sont les plus nombreux.

Les rivières de première catégorie

La date officielle d'ouverture de la pêche représente un peu le « 14 Juillet » du pêcheur, le signal qu'il va enfin pouvoir rejoindre le milieu naturel qu'il aime tant. Cette période valable sur l'ensemble du territoire marque l'ouverture de la pêche à la truite, reine des eaux vives et véritable Graal du pêcheur. Les dates durant lesquelles la pêche est autorisée dans les cours d'eau de première catégorie sont les suivantes : du deuxième samedi de mars au troisième dimanche de septembre inclus.

Les rivières de seconde catégorie

Pour tous les cours d'eau, étangs, retenues, lacs et canaux regroupés dans cette seconde catégorie, la pêche est ouverte toute l'année, mais certaines espèces sont protégées durant leur période de reproduction (le frai). Par exemple, la pêche au brochet est autorisée du 1er janvier au dernier dimanche de janvier inclus, puis du 1er mai au 31 décembre inclus. Enfin, certains cours ou plans d'eau sont soumis à des réglementations spéciales éditées par les collectivités locales qui en ont la gestion. Pour obtenir une information complète et détaillée sur les lieux où vous souhaitez pêcher, rendez-vous sur le site internet de la Fédération Nationale de la Pêche en France (www.federationpeche.fr) et sélectionnez votre département dans la liste proposée. Vous obtiendrez alors les coordonnées de la fédération locale qui vous délivrera les informations spécifiques aux cours et plans d'eau de votre région.

Les heures de pêche

Sur l'ensemble du territoire, la pêche est autorisée une demi-heure avant le lever du soleil et doit s'arrêter au plus tard une demi-heure après son coucher. Là encore, de nombres dérogations existent, en particulier pour la pêche nocturne à la carpe (voir la partie « pêche à la carpe de nuit »). Le mieux est de prendre contact avec votre fédération locale pour obtenir des informations.

Une année de pêche

Si la réglementation impose certaines dates de pêche que vous devrez respecter, du côté des poissons, c'est la météo qui rythme leur vie. Couleur et température de l'eau, ensoleillement et vent sont à prendre en compte avant de vous lancer dans votre première partie de pêche, car vos proies ne seront pas les mêmes en octobre ou en avril. Et qui dit saisons différentes, dit aussi techniques de pêche différentes...

Décembre, janvier et février : la torpeur de l'hiver

C'est le moment d'entretenir votre matériel et de préparer votre prochaine sortie. Techniques ou romanesques, vous trouverez de nombreux livres taillés sur mesure pour le pêcheur dans l'âme que vous êtes, qui vous occuperont quand les intempéries empêchent toute sortie.

Si l'hiver est rigoureux pour le pêcheur, il l'est tout autant pour ses proies. La température de l'eau avoisine en février 0 °C. La plupart des poissons ralentissent leur activité et descendent vers le fond, où les eaux sont les moins froides. Mais si le soleil pointe le bout de son nez, il n'est pas rare que certains d'entre eux remontent vers la surface. Enfin, certains poissons, comme le chevesne, sont insensibles aux grands froids et peuvent être pêchés en plein hiver. D'une façon générale, la saison hivernale est le bon moment pour la pêche aux carnassiers comme le sandre et le silure, ou encore le brochet (excepté lors de sa reproduction).

Mars, avril et mai : le réveil du printemps

C'est certainement la période préférée du pêcheur. Le mois de mars signale l'ouverture de la pêche à la truite fario, et toute la frustration accumulée lors des intempéries de l'hiver laisse place à la joie simple et frénétique des premiers lancers sous le pâle soleil de ce début de printemps. La nature s'éveille, les premiers bourgeons commencent à pointer, la température de l'eau remonte, et bientôt les abords de l'eau fourmilleront d'une activité intense, signe du retour des beaux jours. En dépit des giboulées, la pêche à la truite donne de beaux résultats dès son ouverture, et celle à la carpe connaît elle aussi un regain non négligeable. En avril, la vie des insectes foisonne au bord de l'eau et bientôt les premières larves éclosent dans les secteurs les plus chauds, chassées par la truite qui se terre dans les souches noyées et les blocs de pierre immergés.

Juin, juillet et août : la frénésie de l'été

Il fait bon et le soleil se lève tôt. C'est le moment des parties de pêche au petit jour avant les grosses chaleurs de l'après-midi. La végétation n'en finit pas de pousser et les insectes fourmillent aux abords de l'eau. Les truites en profitent pour chasser les proies volantes qui passent à leur portée, pendant que les ablettes se repaissent des végétaux qui abondent en cette saison. Carpes et truites seront pêchées de préférence tôt le matin et tard le soir. En effet, si les températures sont élevées au cours de la journée, les poissons chercheront plutôt à se mettre au frais sous les frondaisons ou les berges touffues. En août, les poissons apprécient les zones où l'eau est la plus oxygénée comme les cascades, les remous près des rochers ou les zones herbeuses. Privilégiez les sorties tôt le matin et le fameux « coup du soir » que nous aborderons plus loin.

Septembre, octobre et novembre : la fin d'un cycle

Septembre est un excellent mois pour la pratique de la pêche ! Même si les températures commencent à descendre, les poissons restent bien actifs et la pêche produit de bons résultats tout au long de la journée.

En octobre, la pêche à la truite n'est déjà plus autorisée, c'est donc le moment de pêcher les carnassiers, comme la perche. Les fortes pluies peuvent troubler la clarté de l'eau, ce qui empêche parfois les poissons de bien repérer les appâts.

En novembre, la nature reprend déjà ses quartiers d'hiver et la chute des feuilles encombre les plans et cours d'eau. Les températures baissent rapidement, les poissons gagnent à nouveaux les profondeurs et s'alimentent peu. La pêche donne ainsi de moins bons résultats.

Où partir à la pêche ?

Les milieux aquatiques à la disposition du pêcheur sont extrêmement variés et toutes les régions de France offrent de belles possibilités, pour peu que l'on connaisse les spécificités des différents écosystèmes et les poissons qui y vivent.

Les torrents

Ils prennent naissance dans les reliefs escarpés et leurs eaux sont rapides et froides. Ces dernières sont par ailleurs assez pauvres en ressources nourrissantes mais ont l'avantage d'être très bien oxygénées, ce qui attire certains poissons comme les truites, les vairons et les chevesnes par exemple.

Les ruisseaux

C'est LE lieu de prédilection du pêcheur qui aime chasser la truite. Il peut s'y poster et pêcher quasiment à vue ! Bien souvent les petits ruisseaux n'ont pas été façonnés depuis longtemps par la main de l'homme et vous allez devoir batailler avec un lit étroit, difficile à pratiquer, parfois encombré de branchages ou d'arbres qui gênent l'action de pêche. Pourtant, malgré

ces désagréments, ces milieux emplis de truites sauvages combatives offrent de beaux souvenirs en perspective...

Les rivières

Tantôt calmes et troubles, tantôt claires et bouillonnantes dans les reliefs accidentés, les eaux des rivières de plaine abritent une grande diversité de poissons grâce à leur physionomie changeante. La végétation qui les borde est variée et, si en été les arbres procurent de l'ombre aux poissons en quête de fraîcheur, les nombreuses plantes aquatiques qui les peuplent fournissent abris et nourriture aux autres. Carnassiers, carpes, brèmes, truites, gardons et perches peuplent ce milieu qui offre au pêcheur un formidable terrain de jeu, surtout quand ses eaux ont pu être préservées.

Les canaux

Larges et calmes, les canaux de navigation renferment une vie aquatique plus fournie que ne le laisse penser l'apparente platitude de leurs eaux. Les poissons se terrent dans les obstacles artificiels construits par l'homme, ou bien remuent la vase en quête de nourriture. Dans ce milieu, la meilleure technique du pêcheur est d'observer la surface de l'eau. Des bulles qui remontent à la surface trahissent la présence d'une proie potentielle fouillant la vase, tout comme le moindre tourbillon est provoqué par l'activité d'un poisson gobeur.

Les étangs

Encore plus que les canaux, les étangs dissimulent une vie foisonnante sous leur apparente torpeur. La plupart sont artificiels et ont été construits au Moyen Âge, principalement pour servir de réserve et d'élevage de poissons. Leur fond, une vase composée de débris végétaux et animaux, renferme la nourriture des poissons fouisseurs comme la carpe. Leurs berges sont souvent aménagées pour le confort

de l'homme, mais demeurent parfois ombragées et herbeuses, formant ainsi de bons refuges pour les poissons et les insectes.

Les lacs

Ils représentent la version XXL de l'étang, à la différence près qu'ils sont d'origine naturelle. Étant donné leurs dimensions, tant en profondeur qu'en superficie, ils renferment une variété infinie de poissons et représentent un terrain de jeu inépuisable pour le pêcheur. S'ils sont situés en haute montagne, leurs eaux sont claires et renferment truites fario et ombles chevaliers. S'ils sont plus bas dans la plaine, brochets, carpes, tanches, brèmes, goujons, sandres et perches promettent de belles parties de pêche.

Les gravières

Autrefois lieux d'exploitation du gravier (d'où elles tirent leur nom), les gravières se transforment en plans d'eau une fois l'extraction terminée et laissent place à un milieu propice à la vie des poissons. Certaines sont tellement excavées que les truites peuvent y vivre toute l'année en se réfugiant dans les profondeurs. Enfin, on y trouvera une population parfois importante de carnassiers comme les black-bass ou les sandres, mais aussi de grosses carpes qui en fouillent les fonds pour se nourrir.

Les lacs de barrage

Étant des ouvrages totalement artificiels, leur biodiversité est nettement moins attrayante que celle des lacs naturels, surtout à cause de l'obstacle représenté par le barrage qui retient leurs eaux. Malgré tout, les carnassiers et les poissons fouisseurs s'y plaisent à merveille. La végétation et les bois immergés au bord des rives offrent de bons abris aux différentes espèces.

Les fleuves

Les fleuves et leurs estuaires présentent la particularité d'accueillir une eau saumâtre (en partie chargée en sel marin) qui fait le bonheur de certains poissons comme le saumon. Ce dernier suit le courant des fleuves pour rejoindre son lieu de reproduction. Cependant, la construction de barrages hydroélectriques au XXe siècle a considérablement perturbé les écosystèmes et certaines espèces ont totalement disparu, comme le saumon de l'Allier par exemple qui s'est éteint suite à l'édification du barrage de Poutès-Monistrol en 1941.

Les règles de la pêche

Indispensable à connaître et surtout à respecter, la réglementation de la pêche en France est simple et privilégie le respect de l'environnement et des ressources naturelles.

La carte de pêche

Un peu comme le permis de conduire, la carte de pêche est le sésame du pêcheur. Pêcher sans la détenir est passible de poursuites. En ce qui vous concerne, deux possibilités s'offrent à vous.

La carte personne majeure

De validité annuelle, elle permet aux personnes majeures de pratiquer tous les types de pêche dans les eaux de première et seconde catégories. Vous pourrez pêcher tous les poissons sauf les migrateurs (comme le saumon par exemple) pour lesquels la détention d'un timbre spécifique d'une valeur de 30 euros est requise. Pour vous procurer la carte, toutes les informations sont disponibles sur le site internet de la Fédération Nationale de la Pêche en France : www.federationpeche.fr

La carte journalière

Si vous souhaitez simplement découvrir la pêche pendant quelques heures, le mieux est d'opter pour la carte journalière. Elle vous permet de pratiquer toutes les pêches en première et seconde catégories le temps d'une journée seulement. Un bon moyen de s'initier aux premières joies de la pêche.

Le code de conduite du pêcheur

• Les tailles minimales de capture Afin de préserver les ressources naturelles, les autorités ont défini les tailles de capture minimales en deçà desquelles les poissons pêchés devront être rendus à la nature. Pour évaluer la taille d'un poisson, il faut le mesurer du bout du museau à la pointe de la queue. Selon les lieux de pêche, les tailles de captures varient. Pour les connaître précisément, le mieux est de vous informer auprès de l'Association Agréée pour la Pêche et la Protection du Milieu Aquatique (AAPPMA) qui gère votre lieu de pêche. Les coordonnées de toutes ces associations sont répertoriées sur le site internet de la Fédération Nationale de la Pêche en France : www.federationpeche.fr.

• Les quantités autorisées

D'une manière générale chaque pêcheur est en droit de conserver au maximum dix truites par jour. D'ailleurs qui en aurait vraiment besoin de plus ? Cependant, de nombreuses dérogations existent. Avant de vous lancer dans une capture, renseignez-vous sur les usages locaux auprès de l'AAPPMA.

• Le nombre de lignes autorisées

Dans les eaux de première catégorie et les eaux domaniales, vous avez le droit d'utiliser deux lignes au maximum. Si vous pêchez dans des eaux n'appartenant pas au domaine public, vous ne pourrez vous servir que d'une seule ligne. Concernant les eaux de seconde catégorie, vous avez le droit d'exploiter jusqu'à quatre lignes, chacune équipée au maximum de deux hameçons et de trois mouches artificielles.

• Les pêches interdites

Il s'agit notamment de la pêche à mains nues et de la pêche sous la glace. D'autres techniques sont prohibées, mais dans la mesure où elles ne concernent que les pêcheurs très expérimentés, inutile de les mentionner ici. Notez enfin qu'il est strictement interdit au pêcheur amateur de vendre le produit de sa pêche !

Les poissons d'eau douce

Avant de vous lancer dans votre première partie de pêche, il est important de partir à la rencontre de vos futures proies, d'apprendre à les identifier, de connaître leurs mœurs, leur anatomie, leurs habitudes alimentaires, leurs lieux de vie préférés, mais aussi ce qui les fait fuir ou les attire... Bref, avant l'action, un petit cours d'anatomie et de zoologie destiné au futur pêcheur que vous êtes s'impose.

Un peu d'anatomie

En guise d'introduction au monde extraordinaire des poissons d'eau douce, voici un aperçu de l'anatomie d'un poisson.

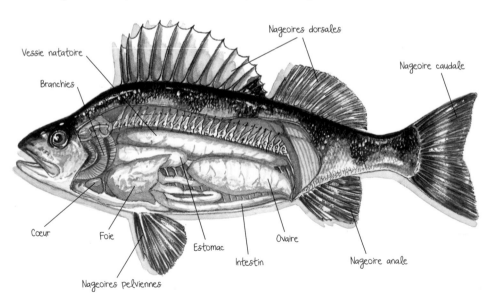

Nageoires dorsales

Nageoire caudale

Vessie natatoire

Branchies

Cœur

Foie

Estomac

Ovaire

Intestin

Nageoire anale

Nageoires pelviennes

L'ablette

C'est le roi des petits poissons argentés que l'on pêche pour la friture. Vivant en bancs, cette espèce est un bon indicateur de la qualité des eaux et sa disparition est toujours le signe d'une dégradation profonde du milieu.

Où la pêcher ?

Présente partout en France, sauf en Corse et dans le Finistère, elle est tout de même plus fréquente dans l'Est que dans le Sud et le Sud-Ouest. Elle aime les eaux bien oxygénées comme les lacs alpins par exemple, mais aussi les fleuves aux courants pas trop froids, les étangs, les canaux et les rivières lentes.

Son alimentation

L'ablette se nourrit aussi bien de plancton que de vers, de larves ou d'insectes tombés à l'eau qu'elle gobe à la surface grâce à sa bouche projetée vers le haut.

Signes distinctifs

Coloration argentée, nageoires grisées, dos gris-bleu et écailles très brillantes. Mâchoire inférieure proéminente orientée vers le haut.

Taille moyenne

De 8 à 15 cm.

Comment la pêcher ?

En été, on peut la pêcher à la mouche car elle adore gober les insectes à la surface de l'eau. En hiver les ablettes se regroupent en bancs, la technique la plus appropriée est alors la pêche au coup, associée à une « mitraillette à ablettes » (une courte canne de type télescopique qui ne dépasse pas trois mètres).

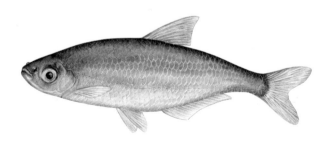

Le barbeau

Appréciant les eaux vives, ce poisson est un nageur hors pair ! Grâce à ses nageoires élancées, c'est le roi des eaux remuantes et des courants violents.

Où le pêcher ?

Présent sur tout le territoire à l'exception de la Bretagne, de la Normandie et de la Corse, il colonise les rivières assez vives, aux eaux fraîches et profondes, au fond desquelles il peut hiverner. On le rencontre souvent dans les fonds cailouteux ou sableux, et en aval des piles de pont, où les individus aiment se regrouper en bancs.

Son alimentation

Omnivore, il se nourrît de vers, de larves, de mollusques, mais aussi de débris végétaux. Quand il est plus âgé, il chasse davantage les alevins.

Signes distinctifs

Corps élancé, grande dorsale. Nageoires pelviennes, anale et caudale orangées. Présence de barbillons (moustaches) autour de la bouche.

Taille moyenne

La plupart mesurent de 30 à 50 cm, mais certains spécimens peuvent dépasser les 60 cm pour 10 kg.

Comment le pêcher ?

La saison de pêche idéale commence au milieu du printemps et s'achève en automne, car dès que les eaux refroidissent, le barbeau gagne les fonds et devient difficile à pêcher. C'est un poisson vorace qu'il faut appâter avec des amorces résistant au courant, par exemple des boules alourdies avec de l'argile dans lesquelles on aura ajouté des tronçons de vers ou des graines. La ligne, quand à elle, doit traîner sur le fond et attirer le poisson grâce à des esches parfois étonnants : morceaux de lard, mortadelle et même chair à saucisse ! Plus classiquement le ver de terre convient aussi. Une bonne technique dite « à la pelote » consiste à noyer le bas de la ligne et l'hameçon dans une boule d'amorce compacte qui traînera sur le fond.

Le black-bass

C'est le cauchemar de la grenouille se prélassant sur son nénuphar ! Introduit en France au xixᵉ siècle, ce carnassier n'hésite pas à jaillir de l'eau pour se régaler d'un batracien, et faire la joie des pêcheurs en quête de combats sportifs.

Où le pêcher ?

On le trouve surtout dans les plans d'eau et les rivières plutôt lentes du sud-ouest, du sud-est et du centre-est de la France. Les eaux calmes, plutôt chaudes et stagnantes sont ses terrains de chasse favoris, avec une prédilection pour les zones herbeuses qui lui offrent de bons postes.

Son alimentation

C'est un carnassier qui affectionne les petits poissons, les insectes, les vers, les batraciens et les sangsues. Dès que la température remonte, au printemps, il fréquente les berges en quête d'insectes tombés à l'eau.

Signes distinctifs

Nageoire dorsale épineuse vers l'avant et en arc de cercle à l'arrière. Corps vert bronze, mâchoires massives garnies de dents acérées. Signe particulier : sa nageoire anale débute par trois rayons épineux.

Taille moyenne

De 20 à 45 cm et de 300 g à 1 kg.

Comment le pêcher ?

On le pêche au lancer. Le black-bass mord bien sûr aux appâts naturels comme les vers et les alevins. Cependant, les Américains – véritables spécialistes de cette pêche – préfèrent le capturer aux leurres artificiels. On utilise surtout des appâts imitant les grenouilles (poppers), des cuillers spéciales (spinnerbaits) et de grosses mouches ressemblant aux alevins (streamers). On peut aussi l'appâter à la sauterelle quand viennent les beaux jours.

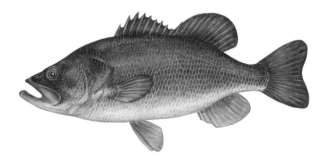

La brème

Ce poisson omnivore et plat comme une planche peut mesurer jusqu'à 60 cm et atteindre un poids de 3 kg ! Reine des étangs, la brème affectionne aussi les grosses rivières.

Où la pêcher ?

À l'exception du sud-est de la France et de la montagne, elle colonise l'ensemble du territoire. Elle affectionne les rivières larges et les étangs vaseux, où, se déplaçant en bancs, elle peut fouiller le fond à la recherche de nourriture.

Son alimentation

Vers, larves, œufs de poissons et même alevins et végétaux, la brème n'est pas difficile !

Signes distinctifs

Corps très plat et bossu, recouvert d'un mucus épais à l'odeur très forte. Couleur vert bronze sur le dos et plus grisée sur les flancs. Avec sa bouche en forme de tuyau, elle fouille efficacement le fond des plans d'eau et des rivières limoneuses.

Taille moyenne

La plupart mesurent de 30 à 45 cm, pour un poids allant de 500 g à 2 kg.

Comment la pêcher ?

Pour pêcher la brème, il faut avoir du temps – au moins quatre à cinq heures devant soi – et préférer les pêches de printemps et d'été, car elle est absolument inactive pendant la saison froide. Elle peut se pêcher au flotteur avec une canne de cinq mètres équipée d'un moulinet, en appâtant avec un ver après avoir amorcé le coup pour faire venir les bancs. Une dizaine de boules d'amorce de la taille d'une orange sont nécessaires pour bien préparer la pêche. Une à deux heures plus tard, les brèmes arrivent. Le bas de ligne doit traîner sur le fond et lorsque le poisson touche, le flotteur se couche sur le côté. Il ne faut pas hésiter à utiliser des pluies d'amorce pour maintenir le coup attractif.

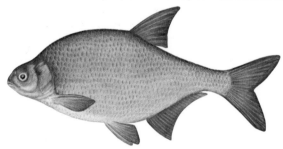

Le brochet

C'est le roi des poissons d'eau douce pour beaucoup de pêcheurs. Les prodigieuses histoires narrant la capture de brochets « longs comme ça » ont fasciné de nombreux enfants apprentis pêcheurs...

Où le pêcher ?

Il est présent partout en France sauf dans le Sud-Est. Grand carnassier, il affectionne particulièrement les eaux stagnantes fournies en végétaux qui lui permettent de se cacher pour repérer ses proies. Il aime aussi la quiétude des canaux et les berges touffues des fleuves et des lacs.

Son alimentation

Le brochet est piscivore et chasse toutes sortes d'autres espèces comme les grenouilles, les crustacés, les vers et parfois même les rongeurs et cannetons... C'est un redoutable chasseur qui peut rester en poste de longues heures, dissimulé dans les herbiers.

Signes distinctifs

Corps allongé, robe verte foncée marquée de stries plus claires et nageoire dorsale placée très en arrière. Sa tête allongée possède une bouche fendue très large en forme de bec de canard, pourvue de nombreuses dents acérées qui laissent peu de chance à ses proies.

Taille moyenne

De 50 à 60 cm pour 1 à 3 kg, mais certains spécimens peuvent dépasser le mètre et peser de 10 à 12 kg.

Comment le pêcher ?

On le pêche au vif avec un appât vivant (ablette par exemple) accroché à l'hameçon, en recherchant les zones susceptibles de l'abriter. Il est aussi possible de pêcher « au mort manié », c'est-à-dire avec un appât mort (un petit poisson par exemple) et de le présenter devant des cachettes potentielles en le faisant se dandiner comme un poisson à l'agonie dans l'espoir d'accrocher un brochet. Enfin, de plus en plus de pêcheurs à la mouche utilisent des imitations d'alevin. À noter que la pêche à la cuiller est aussi possible à condition de renouveler fréquemment celle-ci et de ne pas craindre les accrochages dans les herbiers...

La carpe

La carpe est un poisson vénéré par certains pêcheurs qui en font une pêche quasi exclusive. Combative et pouvant atteindre des mensurations impressionnantes, elle fait aujourd'hui l'objet d'une pêche très technique.

Où la pêcher ?

Introduite en France dès le Moyen Âge, elle peuple de nos jours les fleuves, les lacs et les étangs de toutes les régions, mis à part les zones montagneuses et le nord de la Bretagne dont les eaux sont trop froides en hiver.

Son alimentation

Elle consomme aussi bien des vers, des larves et des végétaux, que de petits crustacés et parfois des alevins. Elle fouille le fond des eaux à l'aide de sa bouche qui se déploie comme un tube permettant d'aspirer sa nourriture.

Signes distinctifs

Bouche pourvue de quatre barbillons, corps allongé et plutôt arrondi. Le premier rayon de sa nageoire dorsale est dur. Sa robe est brune sur le dos, de couleur cuivre sur les flancs et jaune sur le ventre.

Taille moyenne

Environ 70 cm pour un poids variant de 1 à 10 kg, mais les plus grosses peuvent atteindre un mètre et peser jusqu'à 25 kg. La plus grosse carpe jamais pêchée en France pesait 37 kg !

Comment la pêcher ?

De nos jours la pêche à la carpe se pratique à l'aide de trois lignes posées sur des détecteurs de touches électroniques, sur un coup préparé avec de grosses amorces de près de 20 cm de diamètre. C'est une pêche d'attente avec réamorçage régulier du coup, qui se prolonge la nuit lorsque c'est autorisé. Le pêcheur suit sa pêche depuis son bivouac installé sur la rive et son cœur s'emballe à chaque fois que les détecteurs s'animent... Une fois la carpe ferrée, c'est un véritable combat qui s'engage, qui fait de cette pêche un sport intense auquel certains vouent un véritable culte.

Le chevesne

L'un des rares poissons que l'on peut pêcher toute l'année et qui ne craint pas les eaux froides. Omnivore, il fait le bonheur de tous les pêcheurs, car on peut le capturer grâce à de nombreuses techniques.

Où le pêcher ?

Il occupe toutes les régions de France. On le rencontre aussi bien dans les fleuves que les rivières et les lacs, bien qu'il ait une préférence pour les eaux plutôt fraîches et bien oxygénées. Il aime déambuler dans les courants, non loin de la surface.

Son alimentation

Le chevesne mange de tout ! Fruits, insectes, alevins, végétaux, déchets alimentaires, il mord à presque tout ce qui est comestible !

Signes distinctifs

Sont corps est fuselé, son dos est noir, ses flancs sont argentés. Il possède une tête massive et un museau bien rond.

Taille moyenne

Il peut mesurer jusqu'à 60 cm et peser près de 5 kg.

Comment le pêcher ?

La pêche aux fruits est assez intéressante à pratiquer en été avec des mûres, des grains de raisins et des cerises qui doivent ondoyer à une profondeur allant de 50 cm à 1 m sous la surface. Il faut « chasser » le chevesne en repérant les frondaisons d'arbres fruitiers et en y plaçant sa ligne. Tout aussi intéressante, la pêche aux insectes produit de bons résultats en été avec comme appât un criquet vivant ou une chenille. Enfin le soir, la pêche à la mouche est aussi efficace.

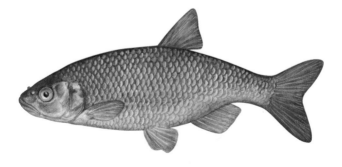

Le gardon

Comme l'ablette, il fait le bonheur des pêcheurs au coup. Un bon nombre d'entre eux ont d'ailleurs commencé par pêcher ce poisson (souvent petit), que l'on trouve partout en France.

Où le pêcher ?

Il colonise toutes les régions de France, sauf la Corse et les eaux des montagnes, trop froides à son goût. Sa préférence va aux plans d'eau, aux rivières lentes et aux canaux. Le gardon a la particularité de s'accommoder de situations particulières comme une qualité d'eau dégradée (après une pollution par exemple) ou une eau saumâtre.

Son alimentation

Il affectionne les végétaux comme les algues par exemple, et s'intéresse aussi aux petits crustacés, aux larves et aux vers de vase.

Signes distinctifs

Son dos tire sur le vert-bleu et ses flancs arborent un joli gris argenté. Ses nageoires clairement orangées et l'iris rougeâtre de son œil font de ce poisson un spécimen facile à reconnaître.

Taille moyenne

La plupart mesurent de 25 à 30 cm et leur poids n'excède jamais 500 g.

Comment le pêcher ?

Le gardon mord surtout au coup, après un amorçage soutenu et concentré au même endroit tout au long de la pêche. Côté matériel, une longue canne (trois mètres au minimum) ou une canne anglaise feront l'affaire.

En hiver on l'appâte avec un ver de vase, mais à la belle saison c'est le chènevis (une graine de chanvre cuite dont raffole le gardon) qui donne les meilleurs résultats, surtout si vous prenez le temps de bien préparer votre coup en amorçant avec des poignées de graines avant la partie, pour faire venir, habituer, puis fixer les gardons sur votre poste.

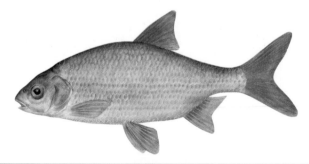

Le goujon

Poisson de friture par excellence, ce poissonnet à barbillons fait partie de ces proies, avec le gardon et l'ablette, qui rappellent aux pêcheurs confirmés leurs débuts en culottes courtes au bord des rivières de leur enfance...

Où le pêcher ?

Son aire de répartition couvre l'ensemble de la France. Appréciant les fonds sablonneux et les graviers, on le trouve surtout dans les eaux claires des rivières, des lacs et des étangs, pourvu qu'elles ne soient pas trop fraîches.

Son alimentation

Carnivore, il se nourrit exclusivement de vers, de petits crustacés et de mollusques peuplant le fond de l'eau, qu'il traque en bancs.

Signes distinctifs

C'est un poisson au corps allongé dont les flancs clairs sont marqués de petites tâches plus sombres. Sa tête est facilement reconnaissable à ses grands yeux circulaires placés en haut sur son crâne et aux deux barbillons ornant sa bouche.

Taille moyenne

Une dizaine de centimètres en général.

Comment le pêcher ?

Simplissime, la pêche au goujon se pratique avec succès à la belle saison à l'aide d'une canne télescopique (pas plus de cinq mètres !) et d'un bas de ligne traînant au fond appâté au ver de terreau ou de vase. Comme le goujon vit en bancs, votre bourriche peut se remplir très rapidement et vous donner une belle friture !

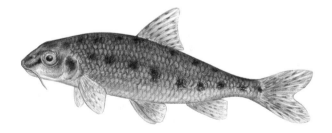

L'omble chevalier

Habitant exclusivement les lacs, ce poisson de la famille des salmonidés évolue parfois à plus de cent mètres de profondeur !

Où le pêcher ?

Dans les grands lacs comme celui du Bourget, le lac Léman, le lac d'Annecy ou le lac Pavin dans le Massif central. On le trouve aussi dans certains plans d'eau où il a été introduit, et dans les lacs plus petits des régions montagneuses.

Son alimentation

Il aime les vers, les insectes, les mollusques et les petits poissons.

Signes distinctifs

Il a un corps très fuselé de couleur variable suivant son milieu de vie : dos bleu-gris et flancs clairs marqués de tâches jaunes. Son ventre a des reflets rosés et rouges. Sa tête est ronde et sa bouche est garnie de nombreuses dents.

Taille moyenne

Une trentaine de centimètres environ.

Comment le pêcher ?

Dans les lacs de taille raisonnable (en montagne par exemple), il se pêche aussi bien à la mouche qu'au leurre, mais le vairon vivant ou mort que l'on anime (technique dite du « mort manié ») fonctionne aussi. Dans les lacs de plus grande envergure, on le pêche surtout à la traîne à l'aide d'une ligne immergée à une trentaine de mètres de profondeur tirée lentement depuis une embarcation.

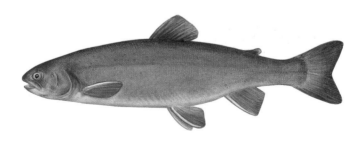

La perche

Dans la famille des carnassiers, la perche chasse en bancs et poursuit sa proie isolée jusqu'à la capture finale. Très répandue, elle se pêche surtout en été et en automne.

Où la pêcher ?

Elle est présente un peu partout dans les rivières, les fleuves, les canaux, les étangs et les lacs. Elle préfère les eaux claires aux fonds rocheux et généralement les milieux où la végétation abonde, ainsi que les bois immergés, les souches et les éléments naturels qui peuvent lui servir de cachette.

Son alimentation

Bon prédateur, elle chasse en bancs les petits poissons comme les goujons et les ablettes, mais raffole aussi des crustacés, des petits mollusques et des larves d'insectes. Elle est plus active au lever et au coucher du soleil.

Signes distinctifs

Sa nageoire dorsale épineuse et sa robe rayée de bandes verticales noires en font un poisson facile à identifier. Autre indice : ses nageoires sont rouges.

Taille moyenne

Elle dépasse rarement 25 cm.

Comment la pêcher ?

Au printemps, elle se cache près des berges et des obstacles naturels qui lui permettent de guetter ses proies. Il faut alors pêcher « à la dandine » : on présente devant le poisson un leurre artificiel ou vivant que l'on fait remonter à la surface puis redescendre. La perche se jette rapidement dessus et peut être ferrée. En plein été, on peut la pêcher à la cuiller ou à la mouche en prospectant les parties plus centrales de la rivière qu'elle rejoint quand elle sort de sa cachette pour poursuivre une proie.

Le poisson-chat

Introduit en France par l'homme alors qu'il est originaire d'Amérique du Nord, le poisson-chat fait aujourd'hui partie de ces mal-aimés de nos eaux douces, en partie à cause de sa voracité, de sa résistance et de sa prolifération que les autorités ont du mal à réguler.

Où le pêcher ?

Implanté en France au XIXᵉ siècle, le poisson-chat n'a pas mis longtemps pour coloniser TOUTES les eaux douces de France. Tout-terrain, il préfère cependant les eaux tempérées faiblement courantes. De nature résistante, il peut vivre dans une eau très peu oxygénée, et même survivre en cas d'assèchement car il a la capacité de s'envaser en attendant le retour des eaux !

Son alimentation

Ce poisson vorace s'attaque aux vers, crustacés, mollusques, alevins, larves et tous les appâts des pêcheurs ! Il se nourrit aussi de végétaux.

Signes distinctifs

Ses longs barbillons, sa large bouche et son corps brun lisse permettent de le distinguer facilement des autres poissons. Attention, aux rayons de ses nageoires pectorales et dorsale qui provoquent de douloureuses piqûres !

Taille moyenne

De 10 à 20 cm pour un poids pouvant atteindre 300 g.

Comment le pêcher ?

En hiver, il est invisible, mais dès que le printemps apparaît, la pêche au poisson-chat devient un jeu d'enfant ! Il faut amorcer franchement une zone de moins d'un mètre carré avec cinq ou six grosses boules faites d'amorce à gros poissons, de croquettes pour chat et de vers. Ensuite, une ligne appâtée d'un ver traînant à peine sur le fond donnera d'excellents résultats. Attention lorsque vous le saisissez, prenez garde aux piques de ses nageoires et soulevez-le par le ventre, derrière les pectorales.

Le rotengle

Il ressemble comme deux gouttes d'eau au gardon, à ceci près qu'il colonise plutôt le fond des eaux et peut tout de même peser jusqu'à 2 kg !

Où le pêcher ?

Il préfère les eaux lentes, stagnantes et riches en végétation. Si l'hiver il gagne les profondeurs pour s'abriter de l'eau froide, l'été il rôde à la surface entre les herbes à la recherche de nourriture.

Son alimentation

Son régime se compose surtout de végétaux et de petits invertébrés comme les mollusques, les larves, les vers et les insectes. C'est un poisson qui aime aussi gober les insectes tombés à la surface de l'eau à la belle saison.

Signes distinctifs

Bouche dirigée vers le haut, robe brun-vert et ventre argenté. Nageoires dorsales, anale et pelviennes rouges et œil aux reflets dorés, ce qui le distingue du gardon.

Taille moyenne

La plupart mesurent autour de 15 cm, mais les plus gros peuvent dépasser 40 cm.

Comment le pêcher ?

L'été, c'est à la mouche qu'il est amusant de pêcher le rotengle. En automne, il faut pêcher au coup en amorçant, comme pour le gardon, et en appâtant avec du pain ou un ver de vase qui doit évoluer à quelques centimètres du fond.

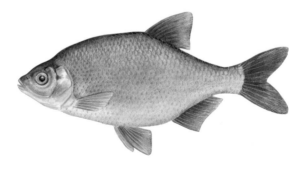

Le sandre

Carnassier aujourd'hui très prisé, le sandre est un poisson mystérieux qui alterne frénésie alimentaire et périodes d'inactivité. Un comportement imprévisible qui rend sa pêche d'autant plus attrayante.

Où le pêcher ?

Introduit au XIXe siècle et aujourd'hui répandu partout en France, il vit dans les étangs, lacs, réservoirs et rivières aux eaux calmes et fournies en bois immergés. Il aime les eaux assez troubles.

Son alimentation

C'est un véritable chasseur en bande. D'apparence calme, le banc peut se muer d'une seconde à l'autre en un véritable gang déchaîné et se jeter sur un banc de petits poissons. Le carnage terminé, les sandres consomment les poissons morts ou blessés qui dérivent au fond de l'eau.

Signes distinctifs

Un corps très allongé, une large mâchoire fendue comprenant canines et dents acé-rées. Il possède deux dorsales, dont une (celle de l'avant) est épineuse. Il possède aussi une ligne noire sur ses flancs longeant le milieu de ces derniers jusqu'à la queue.

Taille moyenne

De 50 à 60 cm pour un poids allant de 1 à 3 kg. Certains sujets peuvent mesurer jusqu'à 1 m et peser de 10 à 12 kg !

Comment le pêcher ?

Il existe plusieurs techniques, comme celle du mort manié qui reproduit l'état de ses proies après une attaque, mais on peut aussi pêcher le sandre au ver manié, au vif, ou au leurre souple. Le tout ici est de susciter l'attaque du poisson en disposant sa ligne à l'endroit où sa présence est supposée. En été, le sandre se poste à l'ombre près des obstacles comme les souches ou les piles de pont. L'hiver, il est plus calme et on peut provoquer son attaque loin des berges avec un leurre souple, que l'on fera monter et descendre sous l'eau de plusieurs centimètres pour simuler un poisson mourant.

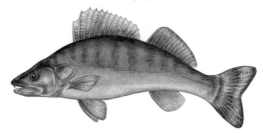

Le saumon

Magnifique poisson migrateur, il naît en rivière et grossit en mer. C'est lors de son retour vers les lieux de ponte que tous les pêcheurs cherchent à capturer ce poisson d'exception.

Où le pêcher ?

Avec la construction des grands barrages du xxᵉ siècle, les populations de saumons ont commencé à chuter dangereusement, ces derniers ne parvenant plus à remonter le cours des rivières pour se reproduire en amont. Face au problème, des passages à saumons ont été construits et de nombreuses opérations d'alevinage ont été conduites, permettant au saumon de faire son retour dans plusieurs cours d'eau, en Normandie et en Bretagne notamment.

Son alimentation

Lors de leur retour en eau douce, les saumons ne se nourrissent presque pas. Ils ont fait des réserves en mer grâce aux crevettes et aux bancs de petits poissons comme le hareng.

Signes distinctifs

De forme fuselée, son corps est recouvert de fines écailles. Ses flancs sont argentés et son dos bleuté. Sa tête paraît assez petite par rapport à son corps et sa bouche est garnie de dents réparties en une seule ligne.

Taille moyenne

S'il n'a passé qu'un an en mer, il mesure environ 50 à 60 cm pour 2 à 4 kg. En revanche, il peut mesurer 1 m et peser jusqu'à 20 kg s'il a poursuivi sa croissance plus de trois ans dans les eaux salées.

Comment le pêcher ?

On peut pêcher le saumon au leurre, à la cuiller, à la mouche, à la crevette ou tout simplement aux vers. Ces deux dernières techniques paraissent les plus appropriées au débutant. Il faut enfiler les appâts vivants de manière à cacher totalement l'hameçon, puis effectuer le lancer et laisser dériver sa ligne en l'animant de plusieurs soubresauts. Quand le saumon mord, attention, la secousse est forte...

Le silure glane

C'est le géant de nos eaux douces ! Pesant souvent plusieurs dizaines de kilos, ce monstre pacifique est le seul poisson qui permette la pêche au gros en eaux douces ! Débutants s'abstenir !

Où le pêcher ?

Présent partout en France depuis une dizaine d'années, il aime les eaux larges, calmes et profondes des lacs, réservoirs, canaux et rivières.

Son alimentation

C'est un véritable carnassier qui mange tout ce qu'il trouve sur son passage comme les écrevisses, les vers, les mollusques, les poissons (la brème par exemple), et plus rarement des oiseaux ou de petits rongeurs.

Signes distinctifs

Impossible de ne pas le reconnaître avec ses mensurations record, sa peau dépourvue d'écailles et les six barbillons ornant sa large bouche garnie de dents râpeuses !

Taille moyenne

Les plus gros silures pêchés en France peuvent atteindre 2 m pour 50 kg...

Comment le pêcher ?

Si vous ne disposez pas d'une embarcation, le plus simple est d'opter pour la pêche aux vers. Sur un hameçon triple sont enfilés trois vers. Le bas de ligne de 50 cm doit être relié à un plomb qui touche le fond. Entre les deux, un morceau de polystyrène décolle le paquet de vers du fond et anime l'appât. Attention à la touche et surtout au ferrage ! Évidemment, vous devrez acquérir un matériel adapté à ce très gros poisson.

La tanche

À la robe verte et au comportement méfiant, cette habitante des plans d'eau joue la discrète, mais elle sait se montrer très combative au bout d'une ligne, ce qui séduit nombre de pêcheurs.

Où la pêcher ?

On la trouve presque partout en France, dans les étangs et les rivières plutôt lentes. Elle affectionne les fonds vaseux fournis en végétation.

Son alimentation

Elle est très active à l'aube et au crépuscule. Petits crustacés, mollusques et insectes vivants dans la vase composent son menu, ainsi que les végétaux les plus tendres.

Signes distinctifs

D'une belle couleur verte, sa robe à petites écailles et ses barbillons en font un poisson aisément identifiable.

Taille moyenne

Elle pèse de 500 g à 1 kg quand elle ne dépasse pas 40 cm, mais peut peser jusqu'à 4 kg.

Comment la pêcher ?

C'est au coup que l'on pêche la tanche en commençant l'amorçage la veille de la partie de pêche. Le lendemain matin, au petit jour, on continue alors la pêche dans le calme en appâtant avec du pain d'épice au bout de l'hameçon. Attention à faire le moins de bruit possible pour ne pas effrayer ce poisson craintif.

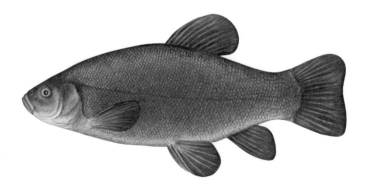

La truite arc-en-ciel

Cousine de la truite fario, c'est une combative qui ravit les pêcheurs. Elle assure la présence de l'espèce dans de nombreux cours d'eau de France, là où, sans elle, la pêche à la truite aurait probablement disparu.

Où la pêcher ?

C'est un poisson régulièrement introduit par l'homme avant l'ouverture de la pêche, au mois de mars. On le trouve donc surtout dans les eaux bien oxygénées et fraîches des rivières.

Son alimentation

Vers, crustacés et poissonnets. Mais en tant que poisson d'élevage, la truite arc-en-ciel mord aussi au maïs et aime les granulés.

Signes distinctifs

De forme fuselée, son corps est recouvert d'une robe argentée aux reflets irisés sur ses flancs (d'où son nom) et ponctuée de petites taches noires, absentes chez la truite fario.

Taille moyenne

Environ une cinquantaine de centimètres.

Comment la pêcher ?

Elle mord aux leurres, aux appâts vivants et à la mouche naturelle.

La truite fario

C'est pour elle que la plupart des pêcheurs ont le cœur qui bat le matin de l'ouverture de la pêche ! C'est elle qu'ils attendent patiemment au bout de leur ligne, les pieds dans la rivière, lançant leur mouche !...

Où la pêcher ?

La truite fario aime les fonds cailouteux et les eaux assez vives. On la trouve dans les parties les plus en amont des rivières, celles qui sont les mieux oxygénées.

Son alimentation

Elle se nourrit de vers, d'escargots, d'insectes et de petits poissons.

Signes distinctifs

Ses flancs sont marqués de points bruns et rouges. Son corps est recouvert de petites écailles et sa bouche pourvue de dents acérées (langue comprise).

Taille moyenne

Elle mesure environ 20 cm en montagne et peut atteindre 50 à 60 cm en rivière de plaine.

Comment la pêcher ?

On peut la pêcher de multiples façons : à la cuiller, au devon, au vif, à la mouche, au ver, etc. Il faut laisser l'appât dériver tranquillement dans un courant calme.

Le vairon

Petit poisson trop souvent cantonné au rôle d'appât très efficace pour la pêche au carnassier, le vairon est une proie parfaite pour initier les plus jeunes aux joies de la pêche.

Où le pêcher ?

Partout en France dans les eaux claires plutôt fraîches et bien oxygénées. On le trouve dans la partie supérieure des rivières où vivent les truites. Il aime les fonds de graviers et de cailloux.

Son alimentation

C'est un poisson opportuniste qui consomme vers, larves, insectes, débris végétaux, et en période de disette œufs de poissons... dont les siens !

Signes distinctifs

Corps allongé, avec une première nageoire dorsale constituée de rayons épineux. Son dos est gris-vert et ses flancs argentés. Facile à identifier, sa tête arrondie se termine par une petite bouche fendue à l'horizontale.

Taille moyenne

De 7 à 12 cm.

Comment le pêcher ?

Très simple, la pêche au vairon se pratique à l'aide d'une ligne pour la pêche au coup et de tout petits hameçons appâtés au ver.

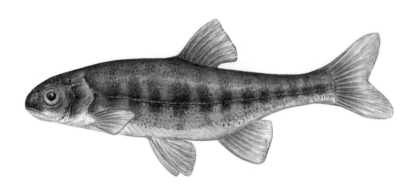

La vandoise

Sensible à la pollution, c'est une habitante des rivières plutôt vives. Elle ne se laisse pas facilement capturer et sa vitesse de nage transforme sa pêche en une véritable course à l'embuscade...

Où la pêcher ?

Elle évite les eaux envasées et préfère de loin les eaux vives caillouteuses à fond de graviers. On la rencontre partout en France, même si elle se fait plus rare dans le Sud-Ouest et le Sud-Est.

Son alimentation

C'est une gourmande qui aime les larves, les crustacés et les invertébrés, mais qui ne rechigne pas à gober les insectes à la surface de l'eau.

Signes distinctifs

Elle possède la couleur argentée et les écailles typiques des poissons d'eau vive comme la truite. Ses nageoires sont jaunes, sa bouche est petite et arrondie et son corps est plus fin que celui du chevesne.

Taille moyenne

La plupart mesurent de 15 à 20 cm.

Comment la pêcher ?

On peut la pêcher avec une ligne classique équipée d'un flotteur dans des eaux plutôt calmes. L'hameçon et l'appât (asticot, petit ver) traîneront sur le fond.

En eaux plus vives dès le printemps, c'est à la mouche que sa pêche sera la plus intéressante.

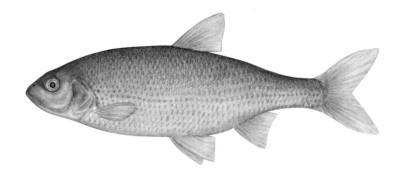

Quelle pêche pratiquer ?

Plutôt que de parler de la pêche au singulier, on devrait plutôt parler « des pêches », car il existe des dizaines de techniques différentes pour pêcher en eaux douces. Chaque poisson se prête à une ou plusieurs techniques de capture qui varient en fonction de la saison, du lieu de pêche, de la température de l'eau et même de l'heure de la journée ! Ajoutez à cela les petites habitudes et manies de chaque pêcheur et vous arriverez à plusieurs dizaines de techniques existantes !

Mais rassurez-vous, il n'est pas utile de toutes les maîtriser pour prendre plaisir à la pêche. Ce sont surtout vos préférences, ainsi que le type de poisson que vous voulez pêcher, qui vous aiguilleront pour trouver la technique la plus adaptée.

Ce chapitre, qui n'a pas vocation à être exhaustif, regroupe les meilleures techniques qui vous permettront de pêcher tous les poissons présentés dans les pages précédentes. Après un rapide descriptif de chaque technique et du matériel à utiliser, plusieurs montages de lignes vous sont proposés, accompagnés de quelques conseils pratiques à appliquer le jour J.

La pêche au coup traditionnelle

C'est une des pêches les plus répandues en France et une des plus faciles à aborder pour les débutants, qu'il s'agisse du matériel d'apprentissage ou des techniques de base plutôt simples à acquérir. Mais attention, derrière l'apparence naïve du pêcheur au coup qui semble attendre une hypothétique touche se cache en réalité un fin traqueur qui connaît sa technique sur le bout des doigts : de l'amorçage à la physionomie de la rivière, en passant par les différentes réactions des poissons qu'il convoite.

Grands principes

La pêche dite « au coup » se nomme ainsi car avant de commencer l'action de pêche, vous allez devoir mettre en place votre affaire. Un peu comme un gangster prépare son « coup », il vous faut arranger minutieusement votre pêche avec un amorçage pour faire venir les poissons. Ensuite, à vous d'adapter votre ligne aux espèces recherchées et de la placer avec précision où vous aurez amorcé. Vous n'aurez plus qu'à attendre la touche en réamorçant à intervalles réguliers pour faire rester les poissons sur le coup.

Où la pratiquer ?

En rivières, fleuves, étangs, retenues d'eau et en lacs. La pêche au coup se pratique dans des zones où le courant n'est pas trop fort, de façon à ne pas disperser les boules d'amorçage et à maintenir le coup bien en place. On peut la pratiquer près de la rive, mais aussi à distance bien plus grande, grâce aux longues cannes qui peuvent mesurer jusqu'à quatorze mètres !

Le matériel

Les cannes sont longues et dépourvues de moulinets. Avec une canne de cinq à six mètres vous pêcherez au bord de la rive. C'est une pêche assez statique, un panier-siège vous permettant de vous asseoir dans une position confortable est presque indispensable ; il vous permettra en outre de ranger votre matériel (lignes, accessoires, boîtes à appât, dégorgeoir, etc.). Vous aurez aussi besoin d'une bourriche dans laquelle stocker vos prises pendant la partie de pêche, ainsi que d'une épuisette pour récupérer les poissons au moment de les sortir de l'eau, et enfin de deux seaux pour vos amorces. L'idéal sera de transporter ce matériel volumineux avec un petit chariot.

L'ablette, le gardon et le goujon

La pêche au coup est la technique reine pour prendre les poissons que l'on range sous l'appellation « fritures ». Bien installé sur votre siège, votre canne dans une main, vous ferrez les poissonnets et les récupérez de l'autre avec votre épuisette avant de les stocker dans votre bourriche immergée.

• La ligne

Son diamètre doit être de 8 à 10/100 et sa longueur de 50 cm plus courte que la canne pour vous permettre d'attraper vos prises sans avoir à vous lever. Le bas de ligne est d'un diamètre de 6 à 8/100 et l'hameçon peut être un n° 18 ou 20. Le flotteur est fin et longiforme et, une fois à l'eau, seule son antenne doit dépasser de façon à détecter la moindre petite touche. Les plombs sont groupés en rivière et étalés en plan d'eau calme. Pensez à ôter l'ardillon de votre hameçon pour faciliter le dégagement de vos prises.

• L'appât

La friture mord bien à l'asticot et au ver de vase, mais vous pouvez aussi utiliser du pain ou un tronçon de ver.

Le poisson-chat

Comme il fouille le fond des eaux avec sa large bouche et ses barbillons, la pêche au coup convient parfaitement à ce poisson dont l'appétit constitue le point faible...

• La ligne

Il vous faut une ligne solide de 12/100 dont le bas de ligne de 20 cm se termine par un hameçon n° 15. Le flotteur doit être bien visible et de couleur vive (jaune et rouge fluo). Enfin, plus bas, cinq gros plombs assez groupés terminent la ligne avec un dernier plomb plus petit fixé juste avant l'hameçon.

• L'appât

N'importe quel appât vivant convient, étant donné l'appétit du poisson-chat, mais un simple asticot fait tout aussi bien l'affaire.

Le rotengle

Ce faux frère du gardon mord bien au coup mais nécessite une ligne solide et un bas de ligne décollé du fond de l'eau.

• **La ligne**

Solide, de diamètre 10/100, elle se termine par un bas de ligne de 8/100. Le flotteur doit être de petite taille et de forme allongée si vous pêchez en plan d'eau. Quatre petits plombs groupés en dessous, suivis d'un petit plomb près de l'hameçon n° 18, complèteront idéalement votre dispositif.

• **L'appât**

Un asticot, un ver de vase ou tout simplement du pain constitueront de bons appâts.

La brème

Pour pêcher la brème, il vous faut utiliser ce qu'on appelle une « longue canne », de plus de neuf mètres, et ce pour deux raisons : d'abord parce que les plus gros

poissons se situent souvent loin du bord, mais surtout parce que les brèmes atteignent parfois un tel poids qu'une canne à coup habituelle ne peut le supporter.

• **La ligne**

Résistante, elle devra se constituer d'un diamètre de 10/100 et d'un flotteur assez allongé si vous pêchez en eaux calmes. En rivière, il vaut mieux opter pour un modèle plus rond qui résistera mieux au courant. Le flotteur devra être équilibré par quatre plombs groupés avant le bas de ligne. Ce dernier sera constitué d'un diamètre de 8/100, long de 15 cm et se terminera par un hameçon n° 22.

• **L'appât**

Un asticot, un ver, un grain de maïs ou de blé.

La tanche

La pêche au coup est une pêche bien souvent lente, silencieuse et discrète. Une technique tout à fait adaptée à ce poisson farouche que le moindre bruit fait fuir...

• **La ligne**

Comme pour la brème, la pêche de la tanche est conseillée à la longue canne. La ligne devra être réalisée avec un diamètre de 12 à 14/100. Il vous faudra un flotteur très allongé avec une longue antenne pour bien détecter les touches. Le bas de ligne, quant à lui, de diamètre plus petit, mesurera environ 30 cm et se terminera par un hameçon de diamètre n° 16.

• **L'appât**

Asticot, ver de terreau, cube de pain d'épice dont raffole la tanche, ou encore plusieurs vers de vase accrochés ensemble sur l'hameçon.

Le barbeau

A l'aise dans les rivières, le barbeau se pêche au coup à la seule condition d'utiliser une amorce solide et une ligne adaptée aux eaux non stagnantes.

• La ligne

Il vous faut avant tout un flotteur assez rond adapté aux courants des rivières. Il doit pouvoir supporter jusqu'à six grammes et doit être parfaitement équilibré à l'aide d'un plomb olivette placé en dessous. Le bas de ligne de 20 cm se terminera par un hameçon n° 14 à 16.

• L'appât

Le fromage, particulièrement le gruyère dont raffole le barbeau, est un excellent appât. Plus classiquement, vous pouvez aussi le pêcher avec un gros ver de terre ou un bouquet d'asticots frais.

La vandoise

Même si elle affectionne les rivières courantes où la pêche au coup est plus délicate, sur les secteurs plus calmes la vandoise permet de belles surprises.

• La ligne

Il vous faudra un montage classique de diamètre 14/100 avec un bas de ligne en 12/100 se terminant par un hameçon n° 12 à 14.

49

• **L'appât**

Ver, asticot, mais aussi chènevis qu'elle affectionne particulièrement, feront de bons appâts.

Le chevesne

Comme la vandoise, ce n'est pas parce que le chevesne aime les rivières à fort courant que la pêche au coup ne lui convient pas ! D'autant qu'en été le coup au fruit permet de faire de belles pêches...

• **La ligne**

Vous devrez utiliser une ligne de diamètre 14/100 et un bas de ligne de 30 cm de 12/100. Comme vous pêcherez en rivière, optez pour un flotteur assez trapu bien équilibré avec un plomb olivette. Enfin, l'hameçon devra être de n° 14 ou 12.

• **L'appât**

Le chevesne raffole des fruits en été ! Le soir, sous les arbres, vous pourrez ainsi le capturer avec des fraises, des mûres, des cerises ou encore des baies de sureau !

Verdict : c'est LA pêche à conseiller aux débutants ! Elle permet d'acquérir les bons gestes et les techniques de base (amorçage, sondage, montage et contrôle de la ligne) qui serviront dans toutes les autres situations. Surtout, elle permet de capturer du poisson rapidement et de prendre plaisir à la pêche !

La pêche à l'anglaise au flotteur

Importée d'Angleterre dans les années 70, cette technique de pêche présente l'énorme avantage d'explorer de nombreuses zones de pêches éloignées de la berge, impossibles à atteindre avec une canne classique.

Le but ? Capturer les plus gros poissons, qui, s'ils sont âgés, finissent par se méfier des zones proches des berges largement explorées par les pêcheurs.

Grands principes

Sa particularité tient dans l'utilisation du moulinet qui sert de réserve de fil et de lancer. Dans le cadre d'une pêche au coup, la principale difficulté avec cette technique est de parvenir à placer sa ligne à l'endroit précis où l'on a amorcé. Il faut donc maitriser la technique du lancer, mais aussi prendre des repères sur la berge et sur sa ligne afin d'être sûr de toujours se placer au bon endroit. Un autre aspect important de la pêche à l'anglaise réside dans le fait qu'il est possible de la pratiquer même par grand vent, en immergeant la bannière (la partie de

la ligne qui relie le flotteur au bout de la canne nommé « le scion »), ce qui permet de protéger la ligne de la dérive.

Où la pratiquer ?

C'est une pêche tout-terrain qui convient aussi bien aux petits plans d'eau qu'aux réservoirs, aux larges rivières et aux fleuves.

Le matériel

La pêche à l'anglaise se pratique avec une canne munie d'anneaux qui guident la ligne et d'un moulinet. Dans le cadre de la pêche au coup, le matériel de confort (siège-rangement) est très utile, tout comme les autres accessoires que sont l'épuisette, deux bassines pour l'amorce et le petit matériel habituel.

• La ligne et le nylon

Pour pêcher à l'anglaise à de longues distances et avec beaucoup de fond, il vous faut une ligne solide de 15/100 qui ne s'allonge pas, et qui soit surtout capable de supporter la force du lancer.

• Le flotteur

C'est l'élément clé de votre ligne dans ce type de pêche. Appelé « waggler », il est composé d'une partie centrale (parfois lestée) de forme oblongue, surmontée d'une assez longue antenne plutôt fine. Il est fixé à la ligne par un seul anneau (les flotteurs classiques de la pêche au coup en ont deux). Une fois le sondage effectué et la profondeur connue, vous devrez fixer sa position en accrochant deux petits plombs mous de part et d'autre de son anneau de fixation.

• Le bas de ligne

De diamètre 12,5/100, il devra se terminer par un hameçon n° 14 à 18.

• L'appât

L'asticot en premier lieu, mais on peut aussi opter pour le ver de vase (en bouquet) ou le grain de maïs.

La pêche à l'anglaise à fond

Variante de la pêche à l'anglaise au flotteur, elle offre la possibilité d'atteindre des endroits éloignés de la berge, mais aussi de placer sa ligne à de grandes profondeurs, inatteignables avec un matériel classique. C'est une pêche assez technique qui comprend plusieurs variantes, mais dont l'intérêt est de chercher de gros spécimens souvent inaccessibles.

Les grands principes

Comme dans la pêche à l'anglaise au flotteur, le lancer a ici son importance et il convient de bien le maîtriser, à la différence près (elle est de taille) que vous n'aurez aucun flotteur pour vous avertir des touches ! L'un des moyens utilisés dans cette pêche est de garder la ligne tendue posée sur un repose-cannes, et un détecteur de touches (quiver-tip ou swing-tip) placé sur le scion en bout de canne. Si une touche survient, le détecteur en matière très souple se pliera. Pour mieux apprécier la force des touches, un écran gradué protecteur du vent sera placé face au détecteur. Vous verrez ainsi votre quiver-tip ou votre swing-tip bouger et franchir les graduations au moment où un poisson attaquera votre ligne. Il est important de préciser qu'un amorçage précis et massif est quasi obligatoire si vous voulez vous assurer de la présence de poissons sur votre coup.

Où la pratiquer ?

En étang, dans les retenues profondes, mais aussi dans les larges fleuves et les rivières.

• Le matériel

Comme c'est une pêche assez technique, il faudra vous préparer à emporter beaucoup de matériel ! Le panier-siège de la pêche au coup peut ici être remplacé par un modèle plus complet intégrant un porte-cannes. Un jeu de plusieurs

détecteurs de touches de forces différentes est indispensable, au même titre que l'écran qui le protègera. Enfin, une variante consiste à utiliser non pas un plomb pour envoyer votre ligne au fond, mais une petite cage métallique que vous remplirez d'amorce (feeder-cage). Il vous faudra emporter vos seaux pour préparer celle-ci.

Les lignes-types à la plombée classique

• La ligne

Elle doit être de diamètre 15/100 et se terminer par un émerillon.

Juste au-dessus de ce dernier, deux plombs assurent un poids de 10 à 50 g (dit « plomb Arlesay », de forme allongée). Lancé à longue distance, c'est ce dernier qui va permettre à votre ligne de plonger au fond.

• Le bas de ligne

D'un diamètre de 12,5/100 et d'une longueur de 30 cm, il se terminera par un hameçon n° 12 à 14.

• L'appât

L'asticot ou le ver donnent de bons résultats.

Les lignes-types au feeder

Votre montage sera sensiblement le même que le précédent, mais vous devrez remplacer le plomb d'Arlesay par votre feeder que vous aurez préalablement rempli d'amorce, ou mieux, d'un mélange d'amorce et d'asticots vivants.

Verdict : les pêches à l'anglaise sont intéressantes à pratiquer si l'on maitrise déjà les techniques de base. Pour autant, si vous disposez d'une canne équipée d'un moulinet, la pêche au flotteur peut être une bonne entrée en matière, elle vous évite de vous lancer d'emblée dans les spécificités techniques de la pêche à fond qui requiert plus de matériel.

La pêche à la bolognaise

Importée d'Italie, c'est une pêche destinée à explorer les grosses rivières et les fleuves larges où le courant est fort. Avec la bolognaise, on cherche à capturer de gros poissons à une distance allant jusqu'à 30 mètres de la berge. Comme pour la pêche à l'anglaise, la maîtrise du lancer et la précision sont indispensables pour pêcher avec succès.

Les grands principes

Avec la bolognaise, le but est d'explorer une bande d'une vingtaine de mètres environ, située parallèlement à la berge à deux ou trois dizaines de mètres de soi. C'est une pêche au coup, et l'amorçage doit être précis et résistant au courant. Après avoir sondé le coup et adapté votre ligne en conséquence, vous devrez effectuer votre lancer en amont de la zone pêchée (ce que l'on appelle « la coulée ») et laisser dériver votre ligne le long de celle-ci en attendant la touche visible grâce au flotteur.

Où la pratiquer ?

Dans les larges rivières puissantes à forts courants et les fleuves de grande profondeur.

Le matériel

C'est une pêche au coup, vous allez donc avoir besoin de votre matériel habituel pour préparer, stocker et amorcer correctement la pêche. L'épuisette et la bourriche sont évidemment indispensables. La canne est de type télescopique à anneaux, et plutôt légère, même si elle doit être capable de sortir de gros poissons.

La ligne

La ligne est composée d'un nylon spécialement conçu pour cette pêche, facile à trouver dans le commerce et dont la qualité principale est une très faible élasticité pour résister aux nombreux lancers, ainsi qu'à la force du courant.

Le flotteur

Plutôt trapu pour bien résister au courant, il supporte un bas de ligne dont le poids ne devra pas excéder six grammes. Sachez que les poids supportés par les flotteurs sont indiqués sur ces derniers.

Le bas de ligne

Sa longueur dépend du poisson pêché et du fond. Si vous pêchez la brème, votre hameçon devra traîner au fond et la longueur du bas de ligne vous sera indiquée en début de partie lors de votre sondage.

Verdict : c'est une pêche technique qui requiert un matériel particulier et une bonne maîtrise des basiques de la pêche (sondage, amorçage, lancer, contrôle de la ligne), ce qui en fait une pêche plutôt déconseillée aux débutants.

La pêche à la surprise

C'est certainement l'une des pêches les plus amusantes à pratiquer ! Au bord de la rivière, à l'affût des cachettes supposées du poisson, vous avancerez sans bruit sous les frondaisons des arbres et lancerez votre ligne dans les remous créés par une souche immergée ou un rocher. Furtivement, vous chasserez le poisson plus que vous ne le pêcherez...

Les grands principes

Tel un indien sur la piste de son gibier, vous rôderez sur les berges de la rivière tout au long de la partie. Il s'agit de venir déposer son appât sur les lieux stratégiques où l'on pense pouvoir capturer du poisson. Il faut donc savoir « lire » la rivière, connaître le comportement des poissons traqués et être habile pour poser sa ligne dans des postes souvent difficiles d'accès.

Où la pratiquer ?

C'est une pêche de rivière, dans des eaux vives et peu larges.

Le matériel

À l'inverse des pêches au coup qui requièrent un attirail souvent encombrant, ici les mots d'ordre sont simplicité, légèreté et mobilité. Une simple canne au coup peut suffire, mais l'idéal est d'opter pour une petite canne à lancer de quatre ou cinq mètres maximum et une musette dotée de poches qui servira à transporter le petit matériel : plusieurs boîtes d'appâts variés (mie de pain, asticots, vers de terreau), du fil, quelques bas de ligne de rechange, des plombs, un dégorgeoir, sans oublier votre sandwich pour le déjeuner... et c'est tout !

La ligne

Elle doit être légère pour vous assurer la plus grande discrétion. Le nylon en 10 ou en 12/100 convient le mieux.

Le flotteur

Là aussi optez pour un flotteur ultraléger ! Un modèle de type « stick » est tout à fait approprié. Si vous souhaitez être encore plus discret, vous avez la possibilité de remplacer votre flotteur par un *rigoletto*, une petite bille de mousse qui vous indiquera l'emplacement de votre ligne, tout comme la moindre touche.

Le bas de ligne

Le bas de ligne devra être constitué d'un nylon de 8 ou 10/100,
lesté de petits plombs groupés,
et terminé par un petit hameçon
n° 12 à 16.

L'appât

Le choix est vaste ! Mie de pain,
asticots, vers de terreau, mais
aussi baies diverses (pour pêcher
le chevesne) ou grains de maïs…
Tout dépend du poisson que vous
souhaitez capturer. Mais ce qui
fait le charme de la pêche à la
surprise c'est aussi de récolter les
appâts sur place, comme les sauterelles qui donnent d'excellents
résultats, ou encore les grillons…

Verdict : une pêche attrayante,
facile à pratiquer, en mouvement
et très active, qui permet de pro-
gresser vite en faisant travailler
votre capacité d'adaptation à de
multiples terrains.

La pêche au toc

C'est une pêche d'exploration iti-nérante qui met à rude épreuve une des aptitudes les plus impor-tantes que vous devrez dévelop-per : « lire » la rivière. Détecter les remous, soupçonner la présence d'un rocher immergé…, font par-tie des basiques de la pêche au toc qui vous permettront (peut-être) de débusquer le poisson qui ne saura résister à votre appât…

Les grands principes

En maraude, le long des berges de la rivière, vous explorerez des zones susceptibles de servir de cachettes aux poissons. D'une main vous tiendrez votre canne et de l'autre le fil de votre ligne qui arrivera au moulinet. Dans cette pêche, vous n'utiliserez pas de flotteur, mais détecterez vos touches grâce au « toc toc » ca-ractéristique, ressenti par la main qui tient la ligne.

Où la pratiquer ?

La pêche au toc se pratique dans les rivières larges comme les pe-tites, et même dans les ruisseaux riches en truites.

Le matériel

Pour pêcher au toc, il vous faudra une canne à anneaux et un mou-linet, ce dernier ne servant que de réserve de fil. Pour passer partout, inutile d'investir dans une canne dépassant cinq mètres. Comme il s'agit d'une pêche itinérante, il faut voyager léger. Une musette contenant le matériel de répara-tion et de rechange, un dégorgeoir et des boîtes à appâts feront par-faitement l'affaire.

La ligne

Vous aurez besoin d'un nylon de 14 à 18/100 en fonction de la taille des poissons que vous chercherez à capturer. Il est inutile, on l'a vu, d'utiliser un flotteur, mais un brin de laine noué sur votre ligne ou un *rigoletto* vous aideront à repérer

celle-ci, surtout si vous prospectez des postes à forts remous comme cela peut arriver en rivière ou en ruisseau de montagne.

Le bas de ligne

Il doit être plus faible de 2/100 que votre ligne. Vous avez plusieurs possibilités pour ajuster vos plombs. Si vous pêchez en eaux fortes, deux olivettes bien réparties sur le bas de ligne garantiront une bonne stabilité à l'ensemble. Si vous souhaitez pêchez au fond de l'eau, groupez vos plombs près de l'hameçon. Enfin, si vous pêchez en eaux calmes, vous devrez répartir de manière égale plusieurs petits plombs ronds jusqu'à l'hameçon.

L'hameçon

Sa taille doit être comprise entre un n° 8 pour les petits appâts et un n° 16 pour les plus gros.
Verdict : itinérante, la pêche au toc est un bon moyen de vous frotter à la truite et de mobiliser tous vos sens... Rien que pour l'accélération de votre pouls quand vous ressentirez le fameux toc toc dans votre main, cette pêche mérite d'être essayée !

La pêche aux leurres

C'est une des pêches les plus pratiquées. Elle demande beaucoup de savoir-faire pour animer un leurre et lui donner l'allure correcte qui parviendra à tromper les poissons que vous convoiterez. Jamais monotone, cette activité fera de vous un véritable chasseur... d'eau douce.

Les grands principes

À première vue, le principe de la pêche au leurre est tout simple. C'est une technique de protection qui consiste à lancer votre leurre vers le poste que vous souhaitez explorer, puis à ramener ce dernier en moulinant dans l'espoir qu'un poisson mordeur se fasse piéger. Mais évidemment, la pêche au leurre est beaucoup plus complexe que cela, et, outre le maniement de votre ligne, c'est votre capacité à observer l'eau qui fera bien souvent la différence.

Où la pratiquer ?

Partout ! En rivière vous chasserez les truites et autres salmonidés, en étangs, les black-bass, les sandres et les brochets.

Le matériel

Une canne courte à anneaux, en fibre de carbone, ainsi qu'un mou-

linet sont indispensables. Comme dans les autres pêches itinérantes, vous devrez emporter votre matériel avec vous et donc opter pour une musette pratique regroupant vos lignes de rechange, une bobine de nylon, des plombs et bien sûr une boîte pour stocker vos leurres.

La ligne

Elle sera composée d'un nylon fluorescent (facilement repérable) d'un diamètre de 20 à 22/100.

Les leurres

Il en existe cinq variétés : la cuiller tournante, la cuiller ondulante, le leurre souple, le poisson nageur et le spinnerbait. Tous sont fixés en bout de ligne avec un nœud ou un émerillon à agrafe et comportent un hameçon intégré.

Verdict : là aussi, il s'agit d'une pêche légère, en mouvement, qui met l'accent sur votre agilité à faire évoluer le leurre pour le rendre attractif et faire mordre le poisson.

La pêche au vif

C'est la technique reine si vous rêvez de vous mesurer aux brochets, sandres, black-bass et anguilles... Elle présente l'avantage d'être efficace partout !

Les grands principes

Le principe de base est des plus simples : vous lancez votre ligne sur un poste que vous voulez prospecter, et le vif (un poissonnet vivant qui sert d'appât) fait le reste ! C'est une pêche qui permet de prospecter au fond ou entre deux eaux et qui se pratique à poste fixe (on reste à la même place tout au long de la partie), ou bien de manière itinérante comme dans les pêches à la maraude.

Où la pratiquer ?

Partout ! En étang et en réservoir vous pêcherez brochets, sandres et black-bass, alors qu'en rivière c'est principalement la truite que vous poursuivrez.

Le matériel

Pour la pêche au vif, il vous faut une canne à l'anglaise munie d'un moulinet. Si vous vous lancez à l'assaut du sandre, du silure ou du brochet, une canne capable de résister à ces poissons s'avère indispensable. Pour vos vifs, un grand seau d'eau et une réserve d'une vingtaine de vifs suffisent pour une partie de pêche. Dans le cas d'une pêche itinérante, une réserve portative est conseillée.

La ligne et le bas de ligne

Tout dépend du poisson recherché. Si vous pêchez le brochet ou le sandre par exemple, votre nylon sera de préférence de calibre 35/100. Si vous pêchez la truite en rivière par revanche, une ligne de 18/100 suffira largement.

Les vifs

Les vifs servant d'appât varient en fonction du poisson recherché. Ainsi, si le sandre et le black-bass raffolent du gardon, de l'ablette et du vairon par exemple, l'anguille, elle, préfère le petit chevesne. Quant à la truite, elle résiste difficilement à un goujon bien amené...

Le bas de ligne

Il doit être en acier si vous courtisez le sandre ou le brochet, car ces deux poissons, en plus d'opposer une forte résistance au ferrage, disposent de dents capables de couper votre bas de ligne en nylon ! Dans tous les cas, ce dernier doit comporter obligatoirement un plomb qui stabilise le dispositif au fond. Votre vif est soit placé en dérivation (à la perpendiculaire) de votre bas de ligne, soit plus bas que votre plomb de façon à ce qu'il évolue à quelques centimètres du fond et attire ainsi le poisson.

Verdict : une pêche traditionnelle qui donne de très bons résultats et dont l'un des attraits principaux est d'offrir de nombreuses possibilités de montages adaptés à tous les carnassiers et les plans d'eau.

La pêche au mort

Derrière ce nom barbare se cachent deux pratiques passionnantes qui permettent de s'attaquer à tous les poissons carnassiers fréquentant eaux vives et eaux stagnantes. C'est aussi une des techniques favorites de ceux qui recherchent la capture de gros poissons attirés par les proies faciles...

Les grands principes

Un poissonnet mort (un vairon la plupart du temps) est fixé comme appât au bout de votre bas de ligne, placé près d'une zone susceptible de cacher le poisson recherché. Voilà pour le principe de base. Il existe en fait deux versions de cette pêche. La première que l'on nomme « pêche au poisson mort posé » consiste à poser votre ligne au fond face à un poste fréquenté par le poisson que vous traquez, un herbier par exemple si vous pêchez le brochet. La seconde que l'on nomme « pêche au poisson mort manié » nécessite d'animer votre appât en explorant une zone de courant où vous laissez dériver votre ligne si vous chassez la truite par exemple.

Où les pratiquer ?

Ces deux types de pêche permettent de balayer toutes sortes de milieux, de l'étang jusqu'à la rivière.

Le matériel

Ce sont des cannes anglaises munies de moulinets qui doivent être utilisées puisque vous devez lancer votre ligne au plus près des postes de pêche. La pêche au vairon mort est très pratique car vous n'avez pas besoin de conserver vos appâts vivants, même s'il est important que ceux-ci demeurent le plus frais possible pour rester attractifs. Dans le cas de la pêche au mort posé, il n'est pas rare d'employer quatre cannes simultanément, disposées en batteries de façon à explorer un large secteur.

Les lignes-types dans la pêche au mort posé

Si vous optez pour un montage dit « flottant », vous pouvez utiliser les montages de la pêche au vif (pour capturer brochets et sandres) ou ceux de la pêche anglaise au flotteur (pour pêcher l'anguille par exemple). Si au contraire vous préférez un montage dit « à la plombée », vous pouvez utiliser les montages de la pêche à la carpe moderne qui donneront de très bons résultats avec le brochet.

Les appâts

Pour le brochet, rien ne vaut les poissons huileux tels que le maquereau, la sardine et le hareng. Si les poissons ne mordent pas, n'hésitez pas à remplacer votre appât par un poisson plus classique (ablette ou vairon) que vous aurez éventré.

Les bas de ligne

Prenez toujours garde lorsque vous pêchez sur le territoire du brochet et du sandre à bien constituer vos bas de ligne avec de l'acier tressé, plus résistant à leurs assauts !

Les lignes-types dans la pêche au mort manié

La ligne doit être constituée d'un nylon de 16 à 18/100 de diamètre.

Le bas de ligne

Il comporte à son extrémité ce qu'on appelle « la monture » sur laquelle sera fixé l'appât. Il en existe différentes sortes, mais toutes ont en commun de présenter le mort le nez vers le haut de la ligne ce qui vous permet de l'animer pour simuler la nage.

Les appâts

Dans les deux cas, le mieux est de disposer de vairons vivants que vous tuerez vous-même avant de les accrocher en leur décochant sur le sommet du crâne une forte pichenette avec votre index. Le poisson meurt sur le coup et vous pouvez le fixer sur votre monture immédiatement. Sinon, vous avez toujours la possibilité de congeler vos vairons (ce qui les tue en douceur), mais sachez qu'un appât décongelé se dégrade très vite dans l'eau et devra être remplacé plus souvent. Enfin, il existe chez les détaillants spécialisés des vairons en conserve qui sont moins attractifs que les poissons vivants mais qui présentent l'avantage d'être aisément disponibles.

Verdict : ces deux pêches sont vraiment très adaptées à ceux qui aiment traquer le carnassier, truite, sandre ou brochet. Cependant, elles ne sont pas faciles à pratiquer pour les débutants du fait de la complexité de certains montages ou de la difficulté que peut représenter l'animation d'un appât inerte qui nécessite une certaine habileté.

La pêche moderne de la carpe

C'est une pêche bien à part. Les « carpistes », comme se nomment les accros à ce poisson, forment une communauté particulière dans la grande famille des pêcheurs.

Les grands principes

Il s'agit d'une pêche de fond proche de la pêche à l'anglaise à fond et le matériel de base n'en diffère pas vraiment. Ce qui rend la pêche à la carpe si particulière est l'utilisation plus poussée de procédés techniques. L'amorçage se fait avec ce que l'on appelle des « bouillettes », des petites boules de couleurs vives composées de farines protéinées, de vitamines et de divers colorants. On est loin de l'amorce classique de la pêche au coup ! En outre, les carpistes disposent souvent leurs cannes en batteries de trois ou quatre sur des repose-cannes reliés à des détecteurs de touches électroniques qui émettent une lumière ou un bruit à chaque touche. L'intérêt est de pouvoir ressentir la moindre touche, mais aussi d'en être averti lors des périodes de repos. Le carpiste est en effet un pêcheur sédentaire qui peut passer deux jours sur le même coup et dormir sur place. Il est patient, précis, très équipé et surtout passionné par ce gros poisson qui peut atteindre plusieurs dizaines de kilos, offrant un combat très physique une fois ferré.

Où la pratiquer ?

Surtout dans les grands étangs profonds où la carpe se sent à l'aise. Les plus gros spécimens vivent dans les profondeurs, ce qui explique la technique de pêche exclusivement à fond.

Le matériel

Pour pêcher la carpe, il vous faut une canne spéciale de 3,5 à 4 m. Le mieux est de vous adresser directement à un détaillant spécialisé pour faire votre choix, surtout si vous êtes débutant. Idem du côté du moulinet, car la puissance d'une carpe qui cherche à se dégager doit pouvoir être canalisée par la mécanique de votre engin ! Pour le reste, cette pêche est certainement celle qui requiert la plus grande quantité de matériel. Détecteurs de touches, pistolets pour fabriquer vos bouillettes, tente-abri pour la nuit, bed chair pour dormir et vous reposer en surveillant vos lignes, panier-siège pour le petit matériel, épuisette large, sac de pesée, tapis pour poser vos prises, lance-pierre, fronde ou même bateau radiocommandé pour placer vos amorces...

La ligne

Idéalement le bon calibre est de 30/100. Préférez le fil fluorescent qui vous permettra de mieux distinguer vos lignes lors des pêches nocturnes.

Le bas de ligne

Il est réalisé en tresse de 15 à 20 kg sur une longueur de 7 m environ.

Il doit être solidement fixé à votre ligne car lors du lancer, qui peut s'effectuer à plusieurs dizaines de mètres, il est soumis à une tension très importante. L'extrémité de votre bas de ligne, quant à elle, sera constituée d'un nylon résistant de 20 à 50 cm.

Le plombage

Il a un rôle primordial puisque c'est grâce à lui que vous propulserez votre ligne suffisamment loin. Pour connaître le poids idéal, reportez-vous à la puissance de votre canne. C'est elle qui indique le poids du plomb à employer (de 60 à 150 g).

L'hameçon

Sa taille devra être comprise entre 8 et 12. Il existe de nombreux montages possibles. Vous avez la possibilité de positionner le plomb en bout de ligne, dans ce cas votre hameçon doit être placé en dérivation de la ligne principale. Si ce n'est pas le cas et que votre hameçon est en bout de ligne, le plomb situé au-dessus sera idéalement fixé à un anti-emmêleur.

Le verdict : c'est une pêche exaltante qui doit un grand nombre de ses adeptes au côté très sportif que requiert le combat avec le poisson, et qui permet d'entrer dans une communauté de pêcheurs passionnés. Mais avant de vous lancez seul, du fait de l'important matériel nécessaire, prenez d'abord contact avec un club local pour un galop d'essai.

La pêche à la mouche

Comme les carpistes, les pêcheurs à la mouche forment une catégorie à part : pour la plupart d'entre eux, ils ne pratiquent QUE cette pêche ! Celle-ci conserve une image sophistiquée et élitiste, pourtant, une fois les bases acquises (qui sont loin d'être aussi difficiles qu'on se l'imagine), elle ouvre des perspectives excitantes et une multitude de possibilités et d'activités annexes, comme la fabrication de ses propres mouches par exemple.

Les grands principes

Il s'agit de poser à la surface de l'eau un leurre artificiel imitant un insecte appelé « mouche ». Toute la difficulté est de repérer les meilleurs endroits pour placer sa mouche (en observant la rivière) et surtout de la poser de la façon la plus naturelle possible pour ne pas alerter le poisson, et le laisser enfin mordre. C'est tout ! Discret, observateur et agile, le moucheur passe souvent des heures les pieds dans l'eau à lancer sa ligne au gré des courants de la rivière. Notamment dans les postes qu'il devine occupés par les truites, LE poisson phare de cette pêche.

Où la pratiquer ?

Partout où vivent la truite, l'ombre commun, le chevesne, l'ablette et la vandoise, bref, principalement en rivière, qu'elle soit large ou plus petite.

Le matériel

Vous devez faire l'acquisition d'une canne à mouche et d'un moulinet spécialisé. Ici pas de moulinage pour ferrer le poisson, car le moulinet sert uniquement de réserve de fil. Le fil, appellé « soie », sert à propulser votre mouche au poste choisi. Il est suivi d'un bas de ligne léger puis de votre mouche.

Il s'agit le plus souvent d'une pêche itinérante et vous devrez transporter tout votre matériel sur votre dos et dans vos poches. Le pêcheur à la mouche dispose ainsi du fameux gilet multipoches, d'un chapeau et de lunettes polarisantes pour se protéger des rayons du soleil se reflétant dans l'eau, mais aussi de son trésor : une boîte à mouches renfermant parfois plusieurs dizaines d'appâts, chacun imitant un insecte différent. Des leurres qu'il a peut-être confectionné de ses propres mains, leur fabrication étant une part importante de cette pratique et une véritable activité parallèle à la pêche elle-même.

La soie

C'est ainsi que l'on appelle la ligne stockée dans le moulinet. Il en existe différentes sortes, mais pour un débutant, la plus adaptée est la soie double fuseau (dite « DT »). Elle permet de lancer loin, de poser la mouche délicatement et avec une grande précision.

Le bas de ligne

C'est la partie qui sépare l'extrémité de la soie de la mouche. Elle est en fait constituée de plusieurs brins de nylon de diamètres décroissants à mesure qu'ils se rapprochent de la mouche. Par exemple un bas de ligne type pourrait être constitué comme suit : 40 cm de 40/100 raccordés à 40 cm de 35/100, puis 40 cm de 30/100, suivis de 35 cm de 20/100 et finalement de 70 à 130 cm de 40/100, sur lesquels vous fixerez votre mouche.

La mouche

Il en existe des dizaines différentes adaptées à chaque poisson ou saison et il est impossible de toutes les détailler ! Pour débuter, le plus simple est de vous procurer auprès de votre détaillant un kit regroupant les mouches de base.

Verdict : Davantage qu'une technique, la pêche à la mouche est une philosophie. Fabriquer ses propres mouches, les faire évoluer en effectuant de beaux lancers (part importante de l'aspect esthétique de cette pêche), tout comme faire corps avec la rivière et chasser le poisson font de cette technique un loisir très attachant à la portée du débutant.

À noter qu'il existe plusieurs variantes de cette pêche : la pêche à la mouche noyée, la pêche au streamer et la pêche à la nymphe, qui toutes reprennent ce principe de l'appât posé avec précision.

La petite boutique du pêcheur

Le matériel est certainement l'un des aspects les plus fascinants de la pêche. Il existe des dizaines de modèles de cannes à pêche dont certaines sont de véritables œuvres d'art, et la profusion d'articles spécialisés comme les mouches ou les flotteurs multicolores confère à cette activité d'extérieur un air de science. D'ailleurs, si l'on y regarde de plus près, dans la pêche comme en science, tout est question de mesures, d'observation, de technique, de précision et d'exactitude... Le matériel détaillé dans les pages qui suivent a pour but de vous aider à choisir le modèle qui vous conviendra le mieux, mais aussi de vous émerveiller comme un enfant...

Les cannes

Il en existe des dizaines de modèles différents et il faudrait un ouvrage entier pour les présenter tous. Vous découvrirez ici les cannes utilisées dans les techniques de pêche décrites précédemment.

La canne pour la pêche au coup traditionnelle

Aujourd'hui si le carbone a remplacé le bambou, le principe de base est toujours le même : un ensemble d'éléments à emmanchement télescopique dont la longueur totale oscille entre deux et dix mètres. À noter que les plus grands modèles possèdent

des éléments amovibles bien pratiques pour remonter le poisson lorsqu'on dispose de peu de recul sur un lieu de pêche.

La canne pour la pêche à l'anglaise

Il s'agit d'une canne à anneaux qui mesure de 3,50 à 5 m environ. Elle dispose d'un porte-moulinet et ne compte généralement pas plus de trois brins à relier entre eux. Il existe différents modèles de cannes anglaises, chacune possédant une puissance différente en fonction de la pêche pratiquée : au flotteur, au feeder ou à la plombée.

La canne pour la pêche à la bolognaise

C'est une canne télescopique à anneaux qui mesure de cinq à huit mètres une fois déployée et sur laquelle il est possible de monter un moulinet. Le plus important est de choisir un modèle léger, car la pêche à la bolognaise est plutôt physique.

La canne pour la pêche à la carpe

C'est une canne démontable constituée de plusieurs brins, dont la principale caractéristique est d'offrir suffisamment de puissance pour résister aux embardées des carpes, mais aussi de vous permettre des lancers très longs. À noter que les carpistes utilisent simultanément trois à quatre cannes de ce type.

La canne pour la pêche au toc

Une canne de type anglaise fera parfaitement l'affaire, surtout si vous vous apprêtez à pratiquer le toc à la dérive. Pensez aussi aux cannes de type téléréglables qui vous permettent de déployer votre ligne depuis une cachette sans vous faire repérer par les poissons.

Les cannes pour la pêche au lancer

Pour propulser les leurres et tenir le coup lors des combats avec des poissons de belle taille, il faut des cannes robustes et précises que l'on divise en deux catégories principales : les légères et les mi-lourdes. Les lancers dit « lourds » sont bien souvent réservés à la pêche en mer.

• Le lancer léger

Idéal pour propulser des leurres dont le poids n'excède pas 15 g, il mesure au maximum 2,20 m de longueur et est constitué de plusieurs brins à anneaux et d'un porte-moulinet.

• Le lancer mi-lourd

Long de 1,50 à 3 m, il est surtout employé pour pêcher les gros carnassiers comme les brochets et les sandres de belle taille.

La canne pour la pêche au poisson mort manié

C'est un modèle assez proche du lancer mi-lourd car il doit supporter un leurre parfois fortement plombé, à la différence près qu'il doit être moins souple pour animer avec précision le leurre mort et ne pas trop le faire « dandiner ». La longueur montée doit être comprise entre 2,50 et 3,50 m. Avec cette canne, on recherche avant tout la précision et la possibilité de lancer loin.

Les cannes pour la pêche à la mouche

Ce sont des cannes ultralégères en carbone. Composées de plusieurs brins, elles contiennent un emplacement dédié au moulinet. Il en existe différents modèles, chacun dédié à une pêche en particulier.

• Pêcher à la mouche sèche
Parfaite pour débuter, elle mesure environ 2,40 m (8 pieds) et convient aux rivières de taille moyenne. Si vous devez pêcher dans des cours d'eaux au lit plus étroit, optez plutôt pour une canne de 6 pieds.

• Pêcher à la mouche noyée
Elle mesure de 2,60 à 3,60 m. Sa principale caractéristique est de pouvoir maîtriser une mouche noyée ou un train de mouches (c'est-à-dire un ensemble de mouches montées en séries) plus lourds qu'une mouche sèche.

• Pêcher les carnassiers

Pour les brochets, les sandres et les grosses truites, une canne puissante est requise. Vous devrez investir dans une canne mesurant entre 2,70 et 3,40 m.

Les moulinets

À chaque pêche son moulinet ! Comme pour les cannes, il existe aujourd'hui de nombreux modèles de moulinets, chacun destiné à un type de pêche en particulier. Voici une sélection restreinte de modèles actuels qui pourront vous servir si vous pratiquez l'une des pêches décrites précédemment.

Les moulinets pour la pêche au coup

• Pour la pêche à l'anglaise

Choisissez de préférence un modèle capoté qui évitera les emmêlements au niveau de la bobine. Si vous projetez de pêcher dans de larges cours d'eau, choisissez plutôt un modèle non capoté qui vous permettra d'emmagasiner plus de fil.

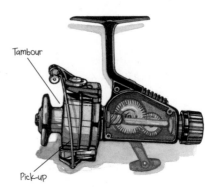

Tambour

Pick-up

• Pour la pêche à la bolognaise

Un modèle identique à ceux proposés pour la pêche à l'anglaise fera parfaitement l'affaire.

• Pour la pêche à la carpe

C'est le frein qui fera toute la différence lors de votre choix. Un frein de bonne qualité vous aidera à fatiguer de puissants poissons pendant le combat tout en préservant la solidité de votre ligne. Lors de votre achat, n'hésitez pas à demander conseil à votre détaillant en lui précisant bien que vous pêchez la carpe.

• Pour la pêche au toc

Le moulinet pour la pêche au toc est un des plus simples, car il va vous servir principalement de réserve de fil étant donné que vous allez pêcher à très courte distance.

• Pour le vif et le mort posé

De la taille des poissons chassés dépend le gabarit du moulinet. Étant donné qu'avec la pêche au vif ou au mort vous serez susceptible de capturer un gros sandre ou un beau brochet, le moulinet sera de plus gros calibre. Comme pour la pêche à la carpe, vous devrez être intransigeant sur la qualité du frein lors de votre achat.

Les moulinets pour la pêche au lancer

• L'ultraléger

Légèreté, capacité de récupération conséquente (70 cm par tour) sont ses principales caractéristiques. Il peut contenir jusqu'à 50 m de nylon.

• Le léger

Plus lourd que son petit frère (environ 250 g) il contient jusqu'à 150 m de fil. Veillez à ce qu'il possède un frein de bonne qualité.

• Le mi-lourd

Avec lui, vous vous attaquerez aux plus grosses prises, et vous pourrez les affronter dans les meilleures conditions. Comme pour la carpe, soyez attentif à la robustesse de tous ses composants sous peine de voir vos captures briser vos lignes...

Le moulinet
pour la pêche à la mouche

Simple réserve de fil, préférez un modèle manuel aux automatiques qui ont le fâcheux défaut de ne pas vous laisser le contrôle de la vitesse remontée de la soie, celle-ci s'effectuant par simple pression sur un bouton...

Le petit matériel

Selon le type de pêche que vous pratiquerez, vous allez emporter un matériel spécialisé auquel devra s'ajouter obligatoirement ce que l'on nomme le « petit matériel ». Plombs, flotteurs, dégorgeoir et émerillons en tout genre en font partie. C'est un peu votre trousse de secours de pêche. Présentation.

Le matériel de rechange

• **Des hameçons de rechange de tailles différentes.** Ils sont vendus en sachets plastiques. N'hésitez pas à en prendre plusieurs de chaque taille et à les classer dans une boîte à compartiments.

• **Des plombs de grammages variés.** Il existe aujourd'hui des boîtes regroupant les tailles des petits plombs ronds les plus utilisées. En emporter avec vous vous sauvera peut-être d'un début de partie mal entamé par la perte d'un bas de ligne...

• **Des gaines en plastique de couleur.** Vendues par boîtes, elles

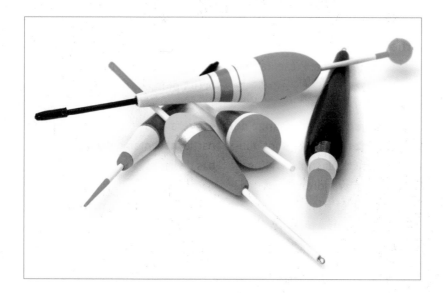

vous permettront de fixer les flotteurs à vos lignes. Elles existent en petit ou moyen modèle.

• **Deux ou trois bobines de nylon de diamètres différents.** Généralement, vous ne vous en servirez que d'une seule, mais on ne sait jamais...

• **Les flotteurs.** Pensez à en avoir un ou deux en doublon dans votre boîte en cas de casse ou de perte.

• **Les plombs olivettes.** Quelques exemplaires de rechange dans votre trousse ne vous chargeront pas et vous sauveront peut-être la mise.

• **Les émerillons.** Bien pratique pour changer de bas de ligne en cas de pêche itinérante, ils sont vendus en sachets et restent un must de la trousse du pêcheur. Si vous pêchez à la cuiller, au leurre, au devon ou au feeder, pensez toujours à en emporter avec vous un ou deux doublons.

• Pour les pêcheurs à la mouche, veillez à emporter de quoi réparer et entretenir votre ligne : colle cyanolite, pierre à affûter hameçons, graisse à mouches, distributeur de bas de ligne, etc.

Les outils

• **Un dégorgeoir** pour ôter rapidement les hameçons en causant le moins de dégâts possible à vos prises.

• **Un couteau multifonctions** de type couteau suisse comprenant un ciseau, un tournevis, deux lames...

• **Une petite pince multiprise d'électronique** pour serrer vos plombées.

• **Une petite pince coupante d'électronique** pour couper tresses d'acier ou matériaux plus durs.

Les préparatifs de votre week-end

La date de votre week-end est calée et vous trépignez d'impatience en pensant à ces deux jours loin de la ville, à la recherche du poisson de vos rêves. Peut-être même en rêvez-vous déjà, littéralement. Rassurez-vous, le monde de la pêche possède ce petit quelque chose de merveilleux qui nous ramène tous vers notre enfance et nos exploits plus ou moins imaginaires dans les bois ou en bord de mer... L'excitation monte doucement à mesure que la date approche et le temps commence à vous sembler bien long. Une période très utile que vous devez mettre à profit pour régler les préparatifs indispensables à votre aventure... histoire d'être fin prêt au petit matin, le jour J.

L'indispensable repérage

Pas question de débarquer sur place au soleil levant après une heure de route pour vous apercevoir qu'un arrêté préfectoral interdit momentanément la pêche dans le secteur sur lequel vous avez jeté votre dévolu ! Un bon repérage, c'est le secret d'une pêche réussie.

Les AAPPMA, LA référence

Ce sont les Associations Agréées de Pêche et de Protection du Milieu Aquatique. Disséminées partout en France, elles sont en charge des milieux d'eaux douces dans lesquels vous allez pêcher. Elles ont un double rôle : fédérer les pêcheurs au sein de structures associatives et veiller au respect et à la protection de l'environnement aquatique. Elles organisent également des cours de pêche pour tous les passionnés, débutants ou confirmés.

Le mieux est de choisir deux ou trois lieux différents qui correspondent au type de pêche que vous souhaitez pratiquer. Une fois votre enquête terminée, vous n'aurez qu'à choisir celui qui correspond le mieux à vos attentes !

Il est donc indispensable de contacter la ou les AAPPMA qui gèrent les secteurs dans lesquels vous avez prévu de pêcher. N'hésitez pas à les apeller pour obtenir un maximum d'informations sur le lieu de pêche :

• Y a-t-il des restrictions particulières ? Des pêches interdites ? Des poissons localement protégés ?

• Quels sont les poissons que l'on trouve le plus ? Les espèces rares qu'il faut ménager ou pour lesquelles vous n'êtes pas encore prêt ? Y a-t-il eu un lâcher récent ?

• Quelles sont les techniques qui marchent le mieux ?

• Quels sont les secteurs les plus intéressants ?

• Quels sont les accès aux points de pêche ? Y a-t-il des infrastructures pour se garer à proximité ? Cette question est particulièrement importante si vous pratiquez la pêche au coup traditionnelle ou la pêche moderne de la carpe, deux techniques particulièrement gourmandes en matériel...

• Y a-t-il une possibilité de passer la nuit en tente non loin du lieu de pêche, ou bien sur place ? Si ce n'est pas le cas, y a-t-il un camping à proximité ? Peut-on faire du feu sur place ? Etc.

En quelques coups de téléphone, vous aurez une meilleure vision des possibilités offertes par chaque lieu sondé et pourrez ainsi faire votre choix en toute connaissance de cause.

Le repérage *in situ*

Pour se faire une bonne idée du potentiel d'un secteur de pêche, rien de tel que le repérage sur place ! En plus de vous faire découvrir les lieux, ce sera l'occasion d'une promenade qui va vous permettre de vous familiariser avec l'environnement et de collecter une foule d'informations très utiles pour la suite. N'oubliez pas que la nature change vite et qu'une rivière trouble en crue en février peut s'avérer un merveilleux secteur à truites en juillet !

Promenez-vous sur les berges et observez la végétation : est-elle fournie ? De quels arbres est-elle constituée ? Y a-t-il des herbiers dans l'eau et des souches immergées ? Les bords et le fond sont-ils caillouteux ou plutôt vaseux ? L'endroit est-il encaissé ou plutôt lumineux ? Est-il abrité du vent ?... Toutes ces informations sont à prendre en compte en les comparant aux données des fiches d'identité des poissons que vous convoitez. Ainsi, si la rivière que vous prospectez vous semble très large, à fort courant et à remous troubles chargés en limon, vous aurez peu de chance d'y capturer votre première fario !

À La pêche aux infos sur le net

Comme beaucoup de passionnés, les pêcheurs sont devenus des accros aux nouvelles technologies et il existe aujourd'hui de nombreux sites d'amateurs chevronnés et des forums où dégoter quelques infos utiles à votre séjour. N'hésitez pas à poser vos questions aux habitués, il est presque sûr qu'ils vous guideront avec enthousiasme, et qui sait, peut-être pourrez-vous en croiser quelques-uns sur les berges le jour de votre sortie !

Pensez aussi au merveilleux outil que représente Google Earth qui vous permet de visualiser tout le cheminement d'une rivière, ses bras morts, les routes d'accès, la largeur de son lit, les plages de gravier, ou encore les pontons et les ponts qui constituent de très bon postes de pêche.

Les cartes IGN

Enfin, si vous prévoyez un parcours de plusieurs kilomètres sur deux jours (dans le cas d'une pêche à la surprise pour traquer la truite, par exemple), munissez-vous d'une carte IGN de la zone. Elle vous indiquera de nombreuses informations bien utiles comme les cours d'eau de première et seconde catégories, les distances et le dénivelé (important pour choisir les postes qui correspondent le mieux à vos attentes), mais aussi les lieux plus dégagés pour vos moments de repos.

Les appâts et l'amorce

Pour certains, le secret d'une pêche fructueuse réside dans l'étape cruciale de la préparation de la partie. Collecter, conserver, choisir ses appâts, mais aussi et surtout confectionner ses propres recettes d'amorce font partie des secrets les mieux gardés du petit monde de la pêche. De la même façon qu'un magicien éludera toujours la question du secret de ses tours, rares sont les pêcheurs d'expérience qui livrent au premier venu les recettes miracles de leurs pêches... miraculeuses.

Les casters et les asticots

L'asticot utilisé par le pêcheur est en fait la larve de la mouche à viande. Cette dernière pond sur une carcasse ou un débris de viande les œufs qui se développent et forment les asticots dont les poissons sont friands. Il en existe de différentes sortes, tailles et couleurs mais les plus utilisés sont les suivants :

• Le pinky
Idéal pour la pêche de la friture, vous le trouverez facilement en magasin spécialisé.

• L'asticot
Il est blanc et fait merveille sur tous les poissons !

• L'asticot teinté
Le plus souvent de couleur rouge, il est l'appât idéal pour achever en beauté une partie de pêche aux asticots blancs dont les poissons ont fini par se méfier...

• Le caster

Il s'agit de la chrysalide de l'asticot, particulièrement appréciée des poissons blancs. À noter que la tanche, poisson très méfiant, en raffole...

Les autres vers et limaces

Peu râgoutants pour l'homme, ces petits animaux sont des mets de choix pour la plupart des poissons de nos eaux douces. En voici quelques-uns qui ont fait leurs preuves en tant qu'appâts, faciles à trouver dans la nature ou chez les commerçants spécialisés.

• Le lombric

Presque tous les poissons mordent à cet appât irrésistible ! Vous le trouverez dans la terre à proximité de votre lieu de pêche.

• La limace

Comme les lombrics elles sont appréciées de tous, mais ce sont surtout les anguilles, les barbeaux et les chevesnes que vous pourrez courtiser en les employant.

• La teigne

Il s'agit de la chenille d'un papillon avant sa mue en insecte volant. Vous la trouverez dans les magasins spécialisés vendue en rouleaux faciles à utiliser.

• Le tébo

Ce vers disponible dans le commerce se trouve être un excellent appât pour la pêche à la truite dès l'ouverture de la saison.

• Le turc

Ce ver blanc vit dans les herbiers des zones humides, vous le trouverez en explorant ces milieux et pourrez vous en servir pour appâter la truite.

• Le ver de farine

Encore une larve très appréciée des truites et autres salmonidés, disponible dans le commerce.

• Le ver de vase

Ce n'est ni plus ni moins que la larve du moustique ! Il est facile à récolter à l'aide d'un tamis dans les eaux vaseuses, mais se trouve aussi dans les magasins spécialisés. Un must pour la pêche au coup !

Les insectes

Appâts de saison par excellence, vous les récolterez directement sur votre spot de pêche !

• La sauterelle

À la belle saison, rien de plus simple que de parcourir les herbes hautes des berges pour dénicher cet insecte qui fait le régal de tous les poissons gobeurs. À noter que presque tous les insectes comme le grillon, le hanneton, le porte-bois (qui vit dans l'eau) et les fourmis feront aussi de très bons appâts pour la pêche à la truite et autres salmonidés.

Les vifs et les poissons morts

Tous les petits poissons (sauf ceux des espèces protégées !) constituent d'excellents appâts pour la pêche au vif ou au poisson mort.

• Les vifs

Vairons, goujons et ablettes pêchés au coup vous fourniront de très bons appâts. Pour les conserver vivants sur votre lieu de pêche, munissez-vous d'un seau d'eau et d'un aérateur à piles qui leur garantira une eau parfaitement oxygénée.

• Les poissons morts

Les poissons de mer fortement odorants comme la sardine, le

sprat et le maquereau feront d'excellents appâts pour la pêche au mort manié et séduiront les carnassiers comme le brochet, le sandre et même le silure.

Les appâts d'origine végétale et les aliments

À force d'essais et d'expériences, les pêcheurs ont répertorié des dizaines d'appâts issus des céréales mais aussi de notre alimentation, et certains sont plutôt... inattendus !

• L'avoine
Parfaite pour capturer ablettes, petits gardons et carpes.

• Le blé
Une fois cuit, le blé est un appât peu onéreux et efficace auprès de nombreux poissons comme la brème, le gardon et la vandoise.

• Le chènevis
Il s'agit de la graine du chanvre. Elle fait des ravages auprès de tous les poissons blancs, comme le gardon. Bien évidemment, elle doit être cuite avant utilisation.

• Le maïs
Cuit, il vous permettra de capturer la carpe et le gardon entre autres. Vous pouvez aussi utiliser du maïs en boîte déjà cuit, tout aussi efficace.

• L'orge
Encore une graine qui, une fois cuite, fera un malheur auprès des poissons blancs.

• La fève
Un appât gagnant pour capturer tanches et carpes !

• Les pâtes
Ce sont des pâtes alimentaires spécialement étudiées pour attirer les poissons blancs.

• Le pain
Rien de plus simple que de confectionner des boulettes de pain et les placer sur votre hameçon pour attirer les cyprinidés !

• **Le pain d'épice**

Cela peut paraître surprenant, mais il n'existe peut-être aucun autre appât qui affole plus les tanches qu'un cube de pain d'épice !

• **La pomme de terre**

Appréciée depuis longtemps comme appât et découpée en petits cubes, c'est auprès des carpes qu'elle donne les meilleurs résultats.

• **Les fruits**

Beaucoup d'entre eux vous assureront de beaux succès en été : fraise, banane, pomme, poire, mûre, raisin...

• **Le fromage**

Les poissons raffolent du fromage ! Cheddar, gruyère, roquefort, vous pouvez les essayer presque tous !

• **Les abats**

Particulièrement efficaces en hiver sur des poissons comme le chevesne par exemple.

• **Les conserves de viandes**

Découpée en cube, la viande comme le corned-beef par exemple fonctionne très bien sur le chevesne, le barbeau, la carpe et le poisson-chat.

• **Les croquettes pour chiens et chats**

Excellentes comme amorces de surface pour attirer la carpe !

Les amorces

Vous pourrez facilement trouver dans le commerce des préparations toutes prêtes pour amorcer. Mais sachez que certains poissons plus âgés (souvent les plus gros) deviennent méfiants avec le temps. Les surprendre avec une recette de votre cru augmentera notablement vos chances de les capturer.

Les produits à utiliser

• **La terre :** il existe différentes terres vendues dans le commerce qui conféreront à votre amorce un certain poids leur permettant de ne pas éclater au contact de l'eau et de couler rapidement au fond.

• **Le sable :** utile pour alourdir vos boules d'amorces.

• **Le liège :** ajouté à vos amorces, il fera éclater vos boules une fois parvenues au fond et ainsi les dispersera. Les morceaux de liège remonteront petit à petit à la surface et vous indiqueront l'emplacement exact de votre coup.

• **L'argile :** elle alourdit vos amorces et leur donne une couleur vive qui les rendent ainsi plus repérables.

• **La chapelure :** c'est l'un des composants essentiels de votre amorce ! Tous les poissons l'adorent, en particulier les poissons blancs. Vous en obtiendrez facilement en broyant des biscottes.

• **Le pain trempé :** la mie tout simplement mouillée est un ingrédient indispensable.

• **Les farines :** qu'elles soient d'arachide, de maïs, de cacao, de riz ou de soja, elles constituent une des bases de votre amorce.

• **Les semoules :** de maïs, de blé ou de riz vont, une fois cuites, donner du collant à votre amorce et permettre de confectionner des boules solides qui se disperseront une fois immergées.

• **Les arômes :** l'arôme de vanille liquide est à utiliser dans presque toutes les recettes, mais vous pouvez aussi opter pour de l'aïl, si vous pêchez la brème par exemple.

La fabrication de votre amorce

Vous aurez besoin de trois bacs distincts et d'un tamis pour fabriquer votre propre amorce. Voici une méthode efficace.

1• Versez les éléments secs, chapelures, farines et semoules dans un des bacs et mélangez-les bien

pour éviter la formation de grumeaux quand vous mouillerez le mélange. Remplissez ensuite un des deux autres bacs avec de l'eau claire.

2• Mouillez votre mélange par étapes successives en vous assurant à chaque fois que l'ensemble est uniformément humide. Vous pouvez vous aider d'un vaporisateur pour pulvériser de l'eau progressivement.

3• Laissez reposer une dizaine de minutes, puis ajoutez alternativement un peu de la terre que vous avez choisie, puis de l'eau. Le but ici est d'arriver à constituer un mélange homogène facile à façonner qui vous permettra de confectionner des boules solides de la taille d'une orange. N'oubliez pas que vous pouvez ajouter des asticots, des tronçons de ver, des morceaux de fromage ou tout autre appât pour rendre votre amorce irrésistible !

Trois recettes infaillibles

• **Pour la pêche en étang**
- 40 % de chapelure
- 30 % de coprah (enveloppe de noix de coco broyée)
- 10 % de semoule de maïs
- 20 % de farine de maïs

• **Pour la pêche en rivière**
- 50 % de chapelure de pain
- 10 % de chapelure de biscuit
- 20 % de tourteau (farine d'alimentation disponible en magasin spécialisé)
- 10 % de coprah
- 10 % de cacahuètes moulues

• **Pour la pêche de la carpe**
- 30 % de pain moulu
- 30 % de tourteau
- 10 % de semoule de maïs
- 10 % de farine de pain d'épice
- 10 % de chapelure de pain
- 10 % de chapelure de biscuit

Conservez vos boules d'amorces dans un bac au sec jusqu'à leur utilisation.

Pêcher avec style :
la garde-robe du pêcheur

Dans la pêche, comme dans toute activité extérieure dans laquelle on se trouve en contact rapproché avec la nature, l'équipement vestimentaire tient une place centrale. Vous devez vous sentir à l'aise, libre de vos mouvements, mais aussi et surtout être protégé du froid, du vent et de l'humidité. Un faisceau de contraintes qui ne doit pas pour autant vous faire oublier qu'il est possible d'être un pêcheur moderne sachant allier praticité et esthétique dans le choix de ses tenues.

Des pieds au sec !

Impossible de couper aux inévitables bottes... D'accord, ce n'est pas du dernier chic, mais vos pieds et vos jambes seront vos meilleures alliées lors de la pêche en maraude ou d'une partie de pêche à la bolognaise particulièrement éprouvante. Voici donc une sélection de bottes et cuissardes dédiées chacune à un usage différent.

Les bottes antidérapantes

Choisissez-les avec des semelles antidérapantes pour pouvoir évoluer sur des rochers glissants, et avec une sangle au niveau du mollet de façon à pouvoir les ajuster à votre taille. Certaines sont équipées d'une semelle isotherme, ce qui est un point très positif notamment si vous restez immobile lors de parties de pêche au coup en plein hiver !

Les cuissardes

Indispensables si vous comptez pratiquer la pêche à la mouche ou toute autre pêche de maraude, comme le toc par exemple ou la surprise, dans lesquelles vous serez inévitablement amené à entrer dans l'eau pour approcher des postes inaccessibles depuis la berge. Choisissez-en avec une option rabattable au niveau des genoux, pour les parties où vous resterez au sec.

Les waders

C'est une combinaison montante se terminant par des bretelles qui isole de l'humidité et du froid. Avec elle, vous serez totalement à l'aise pour évoluer dans certaines rivières plus profondes. Pensez aux pêches d'été et optez pour un modèle fabriqué en matériau res-pirant comme le Goretex. Attention ! Pensez à vérifier que les semelles sont bien antidérapantes !

Des pieds à l'aise !

Pendant votre expédition, nombreux seront les moments pendant lesquels vous ne serez pas en action de pêche. Veillez donc à emporter avec vous deux paires de chaussures supplémentaires. De vieilles chaussures de sport montantes serviront de rechange

si vous trempez vos chaussures tout-terrain. De préférence, celles-ci devront être des chaussures de randonnée légères. De nombreux modèles à des prix tout à fait abordables sont aujourd'hui disponibles dans les grandes enseignes d'articles de sport.

Enfin, ne négligez pas le confort, surtout si vous programmez votre excursion en plein milieu de l'été ! Une paire de tongs pour gambader sur les berges de l'étang en taqui-nant la carpe se révéleront alors bien agréables...

Les pantalons et les shorts : du pratique à l'esthétique

Le mieux ici est de vous poser ses deux questions : « Quelle pêche vais-je pratiquer ? » et « Quel temps va-t-il faire ? »

En fonction des réponses, vous saurez exactement le type de tenue à emporter. Si vous pratiquez

la pêche moderne de la carpe dans un étang du sud de la France au mois d'août, inutile d'investir ou d'emporter un pantalon imperméable. En revanche, si vous vous apprêtez à traquer la truite dans un torrent de montagne dès l'ouverture de la saison, habillez-vous en conséquence...

Si vous devez affronter froid et humidité

Investissez dans un pantalon de pêche de bonne qualité. Cela représente une certaine somme mais vous ne le regretterez pas. Chaud, imperméable et doté de nombreuses poches, ces modèles vous sauveront la mise au petit matin, ou quand vous devrez relever vos lignes à la tombée de la nuit...

Si vous pêchez depuis la berge en moyenne saison

Vous pouvez très bien vous contenter de revêtir un pantalon classique comme un jean. Les deux seules contraintes sont les suivantes : la matière doit être résistante (la toile du jean est parfaite pour cela) et la coupe pas trop large de façon à vous permettre de vous faufiler dans les passages escarpés.

Si vous pêchez en été

Dans cette situation, le mieux est de prévoir un short avec poches latérales. Vous trouverez des modèles adaptés aux activités extérieures dans les grandes surfaces d'articles de sport. Certains possèdent même des jambes amovibles bien pratiques pour vous couvrir quand tombent le soleil ou la rosée et qu'apparaissent les premiers moustiques... Un second short taillé dans un vieux jean fera parfaitement l'affaire si vous devez en changer.

Un haut bien au chaud !

Comme pour le bas, les conditions météorologiques et le type de pêche pratiquée vont décider de votre garde-robe d'aventurier.

• En hiver

Un tee-shirt et un sous-pull destiné aux sports d'hiver sont indispensables. Pour vous tenir au chaud, le mieux est de multiplier les couches. En plus de cette première peau, la polaire semble la meilleure solution pour vous protéger efficacement du froid. Question esthétique, vous êtes encore loin des défilés de mode, mais au moins vous pourrez tenir le coup lors des longues journées de pêche dans les lacs d'altitude.

• Au printemps

Suivant la météo locale, le tee-shirt et une bonne chemise à carreaux épaisse feront une tenue parfaite. Celle-ci en tissu résistant et chaud vous donnera l'air d'un pêcheur canadien échappé du Grand Nord... Pratique, vous pourrez en relever les manches et en ouvrir le col si le soleil pointe le bout de son nez.

• En été

Si vous pêchez en rivière les pieds dans l'eau, les bottes seront toujours

de rigueur... Mais si vous pratiquez le coup en étang, c'est autre
chose ! Une chemisette ouverte,
option marcel, vous donnera l'air
d'un tonton flingueur des années
50, taquinant le goujon sur les
bords du canal Saint-Martin. La
classe à l'ancienne. Dans un re-
gistre plus moderne, le tee-shirt
fera évidemment l'affaire.

L'éternel gilet du pêcheur

Nous avons tous en tête l'image du
pêcheur affublé de son incroyable
gilet multipoches... ces innom-
brables poches cousues ensemble
qui finissent miraculeusement par
former un gilet ! Pour ou contre ?

• **Pour !** C'est le vêtement le plus
pratique qui ait jamais existé. Il

vous évitera de poser votre canne ou de vous éloigner de vos lignes pour aller chercher dans votre trousse les accessoires dont vous aurez inévitablement besoin des dizaines de fois pendant votre week-end. C'est le seul vêtement qui vous permettra d'emporter sur vous tous les objets indispensables à la pêche. Enfin, vous pourrez le porter par tous les temps, l'hiver sur votre polaire, et l'été sur votre tee-shirt.

• **Contre !** Il est impossible de vous souvenir dans quelle poche se trouve le leurre, votre couteau suisse ou votre téléphone portable ! Et quand il est temps de prendre en photo votre plus belle prise, l'action vous paraît carrément irréalisable. En outre, question style, on a connu mieux… En ce cas, vous pouvez le remplacer par un petit sac à dos renfermant une miniboîte de pêche étanche abritant les accessoires que vous utilisez le plus.

À chaque pêcheur son couvre-chef !

Un peu comme le gilet à poches, la casquette, le bob, le chapeau et la visière sont les incontournables du stylisme version eaux douces. Inventaire.

Le bob

La légende populaire veut qu'il soit de préférence publicitaire et impérativement siglé aux couleurs d'une marque d'apéritif anisé. De nos jours, les inconditionnels du bob optent plutôt pour des modèles de couleur kaki ou sable, en matière synthétique, laissant respirer le crâne tout en le protégeant de la pluie, du vent et des rayons du soleil. Avantage : le moucheur peut y fixer ses mouches sur tout le pourtour.

Verdict : il vous donnera l'air d'un pro. Note stylisme : 2/5.

La casquette

Comme pour le bob, il existe deux écoles. L'ancienne qui prône le port de la casquette de campagne en tissu pied-de-poule, et la nouvelle qui ne jure que par la casquette de base-ball à large visière. Si vous traquez la truite à la mouche, optez pour la seconde. Sa visière vous protègera des reflets du soleil dans l'eau et vous permettra de mieux placer votre mouche.

Si vous être plutôt pêche à la blanchaille sur les étangs de la Sarthe, jouez le côté rétro à fond et choisissez le modèle vintage. À fortiori si vous avez opté pour la tenue de style « tonton flingueur » citée plus haut.

Le chapeau

On passe dès lors dans une autre catégorie, celle du vieux briscard-aventurier-Indiana Jones du carnassier. Le chapeau est totalement hors du temps. Impossible d'être has been avec cet accessoire qui a l'avantage de protéger la nuque des rayons du soleil. En version paras, vous pourrez rabattre l'un de ses bords, voire les deux vers le centre quand il fera trop chaud. Et pour le trouver, rien de plus simple : les surplus militaires en regorgent !

Verdict : pratique, il vous protègera par tous les temps ! Note stylisme : 5/5.

La visière

La pêche représente une des dernières activités d'extérieur avec le golf et le tennis où l'on peut encore observer le port de la visière. Elle a un côté très chic, qui peut rapidement passer pour du mauvais goût si elle n'est pas impeccablement blanche. Elle vous protègera efficacement des rayons du soleil et laissera votre crâne au frais en été.

Verdict : utilité limitée aux beaux jours... Note stylisme : 2/5.

Et pour la nuit alors ?

Pour dormir en pleine nature, même au cœur de l'été, oubliez votre combo cocoon « bonnet de nuit-pyjama en pilou » et vos habitudes urbaines du genre « Moi, je ne dors qu'en caleçon sinon j'ai trop chaud » car, quelle que soit la pêche que vous pratiquez (nocturne ou pas), le mieux est de disposer d'une tenue pratique qui vous permette d'évoluer au grand air...

Si vous pratiquez la pêche à la carpe moderne

C'est une des seules pêches pour laquelle il est possible de pêcher régulièrement la nuit. La petite communauté des carpistes se retrouve donc souvent autour des meilleurs spots pour des parties de pêche sur plusieurs jours et plusieurs nuits. Ambiance sympa assurée !

Mais les carpistes ont une telle passion pour leur poisson fétiche que même la nuit, ils ne dorment que d'un œil et veillent à la moindre touche détectée par

les capteurs électroniques fixés sur leurs lignes ! Une pêche pas comme les autres, où vous pourrez vous lever d'un bond au beau milieu de la nuit pour ferrer un spécimen de 20 kg ! Le mieux, si vous vous apprêtez à pratiquer ce genre de pêche, est de prévoir deux tenues complètes. La première vous sera utile le premier jour et la première nuit, puis vous pourrez en changer au petit matin pour enfiler la deuxième. Dormir tout habillé vous permettra de rester réactif si le poisson mord au cœur de la nuit...

Si vous pêchez lors de la saison froide (octobre-mars)

Là, c'est selon vos habitudes et la météo locale, mais l'idéal est d'opter pour un vrai pantalon de pyjama, ou mieux un jogging molletonné plus ou moins épais. Il vous protègera du froid et vous permettra d'évoluer rapidement à l'extérieur si besoin était (intru-sion d'un animal sur votre campement, démontage express du camp en cas de tempête...). Côté tee-shirt, optez pour un modèle thermoactif conçu pour limiter la déperdition de chaleur et ne pas nuire aux mouvements. Léger et antitranspirant, vous en trouverez à bon prix dans les grandes surfaces d'articles de sport. Enfin, une polaire à portée de main ne sera sans doute pas un luxe...

Si vous pêchez à la belle saison (avril-septembre)

N'oubliez pas que les nuits sont fraîches même en été ! Vous pouvez bien évidemment vous coucher en short, mais veillez à garder à portée de main un pantalon facile à enfiler, ainsi qu'un sweat-shirt à capuche en cas de sortie nocturne. Rangez toujours vos chaussures au même endroit de façon à pouvoir les retrouver et les enfiler le plus rapidement possible.

Le bivouac du pêcheur

Pendant deux jours, vous allez devoir vivre en totale autonomie et ne pourrez compter que sur vous-même pour effectuer des gestes aussi simples que préparer vos repas, vous reposez, apprêter vos lignes et peut-être même vous réchauffer ou vous soigner en cas de petite blessure. Des tâches plutôt courantes quand on vit dans le monde moderne, mais qui peuvent vite tourner au cauchemar si l'on ne s'y prépare pas suffisamment.

Ce chapitre vous explique comment mettre en place un vrai bivouac de pêcheur, à quel endroit, selon quelles règles et avec quel matériel, afin de vous permettre de profiter à 100 % de votre partie de pêche dans un environnement confortable, en accord avec la nature. Pour un bivouac inoubliable !

La réglementation du bivouac

La loi française est assez stricte concernant le camping sauvage. Voici en substance ce qui vous est permis de faire ou pas :

• Si le camping sauvage est interdit, le bivouac, lui, est autorisé. La différence entre les deux se situe dans le fait que le second ne dure qu'une nuit et que le premier est généralement synonyme d'un séjour plus prolongé.

• Votre équipement doit être le plus restreint possible et votre tente être un modèle simple et léger.

• Veillez à occuper peu d'espace, ne vous étalez pas !

• La nuit, rangez tout le matériel dans votre véhicule s'il se trouve à proximité, ou bien dans votre tente. Le but est de demeurer le plus discret possible.

• Nous évoquerons la situation de votre bivouac plus tard, mais sachez déjà que selon la loi, vous devez éviter de vous placer dans une zone trop découverte, comme une grande étendue dégagée ou une plage. Optez plutôt pour un petit coin à l'abri.

• Si vous devez occuper un terrain privé, demandez l'autorisation à son propriétaire au préalable.

• Maintenez votre bivouac parfaitement propre, ne laissez rien traîner et rassemblez vos déchets avant votre départ.

• Attention, si vous pêchez dans les parcs régionaux, le bivouac est soumis à une réglementation plus stricte. Pour en savoir plus contactez l'office de tourisme en charge de la zone géographique de votre séjour.

• Pour être parfaitement en règle, il est impératif de monter votre tente au dernier moment juste avant la tombée de la nuit et de la démonter au petit matin au lever du soleil. Il est interdit de « squatter » une zone deux jours de suite avec sa tente montée en permanence.

• Pensez à vous renseigner sur la présence de terrains de camping municipaux à proximité de votre lieu de pêche. C'est une solution qui vous permettra vous installer en toute légalité dans un endroit souvent peu fréquenté en dehors des périodes de vacances scolaires. Certains se trouvent même en bordure de rivière ! Lors de votre prospection à la recherche du spot idéal, c'est peut-être un critère intéressant à prendre en compte.

La réglementation du feu de camp

Malheureusement, la loi est très claire à ce sujet, l'allumage de feu dans la nature est totalement interdit dans la plupart des régions de France (surtout en été). Vous pouvez donc dire adieu au barbecue de poisson frais le soir après une belle journée de pêche.

Une bonne solution consiste cependant à situer votre campement sur un terrain privé (champ à proximité de la berge, prairie

Ce que dit strictement la loi

Vous ne pouvez pas vous installer :

• dans les secteurs où le camping pratiqué isolément n'est pas autorisé,
• dans les forêts, les bois et parcs classés comme espaces boisés à conserver,
• sur les routes et voies publiques,
• à moins de 500 m d'un monument historique classé ou inscrit,
• sur les rivages de la mer,
• dans un rayon de 200 m autour d'un point d'eau capté pour la consommation,
• dans certaines zones déterminées par les autorités municipales ou préfectorales.

de bord de rivière...), à demander l'autorisation au propriétaire d'y installer votre campement et à l'avertir que vous allumerez un feu le soir. Cette solution vous soustraira d'office aux contraintes de la loi sur le camping sauvage et vous permettra de prendre vos aises après une dure journée.

Le matériel du bivouac

On l'a vu, la législation est très stricte concernant le bivouac et met l'accent sur le côté « éphémère » et « léger » de l'installation. Deux critères en effet à privilégier lorsque vous réunirez le matériel nécessaire à l'établissement de votre campement.

La tente classique

Elle doit être la plus légère possible si vous devez la transporter sur une longue distance avant de la monter. À fortiori si vous pratiquez une pêche à la surprise et que vous avez prévu de bivouaquer à mi-parcours !

En tous les cas, inutile d'investir dans un modèle dédié à la pêche si vous êtes un pêcheur occasionnel ! Une tente « igloo » classique fera tout à fait l'affaire. Choisissez un modèle une ou deux places, plié dans un sac de rangement facilement transportable. Vous en trouverez à des prix très raisonnables dans les grandes surfaces spécialisées en articles de sport. Vous verrez aussi des modèles à montage presque automatique. Ils sont intéressants, mais une fois repliés, certains ont tendance à prendre plus de place qu'un modèle igloo d'une place au montage traditionnel. Choisissez la tente de couleur sombre ou kaki de façon à la fondre dans le paysage.

Le biwy

C'est LA tente préférée des carpistes qui sont de grands pêcheurs

nocturnes. Spacieuse et facile à monter, elle est étudiée spéciale- ment pour accueillir les bed chair (chaises longues se transformant en lit), et dispose d'une grande ouverture pour permettre au pê- cheur qui se repose de pouvoir garder un œil sur ses lignes. Il en existe de toutes les tailles et à tous les prix.

Le matelas

Comme vous vous apprêtez à ne passer qu'une nuit dans votre bivouac, inutile d'investir dans un matelas grand confort, trop large, trop lourd et encombrant. Certains fabricants de matelas pour randonneurs proposent au- jourd'hui des modèles gonflables de haute qualité, qui une fois pliés ne dépassent pas les 22 cm de long pour à peine 10 cm de large ! L'accent étant mis ici sur la légè- reté et la discrétion, un modèle de 50 à 70 cm de large sera suffisant pour vous accorder le repos né- cessaire.

Le sac de couchage

Ici aussi privilégiez la légèreté et la polyvalence en optant pour un modèle « sarcophage » destiné aux randonneurs.

Ces modèles existent en plusieurs tailles de façon à s'adapter à votre corps et à mieux préserver la chaleur corporelle. Leur principal avantage est leur capacité à occu- per le moins de volume possible une fois repliés !

La cuisine ambulante du pêcheur

Outre le bon vieux feu de camp (si vous avez l'autorisation d'en allu- mer un...) qui pourra vous servir de mode de cuisson 100 % natu- rel, il vaut mieux prévoir d'empor- ter avec vous de quoi réchauffer votre repas du soir. Surtout si la météo vous joue des tours et que l'allumage de votre feu devient une mission impossible...

Le réchaud à gaz

Il en existe de toutes les tailles, chacun adapté à une situation particulière.

• Le nomade

C'est le brûleur qui fonctionne avec la cartouche de gaz le plus petit du marché. Léger et peu onéreux, il vous permettra de réchauffer une soupe en sachet ou un plat préparé en boîte, mais n'espérez guère plus !

Verdict : à privilégier si vous pratiquez une pêche itinérante ou n'avez pas prévu de cuisiner.

• Le duo

Il s'agit d'un réchaud double feu, avec une réserve de gaz au poids assez conséquent.

Verdict : à privilégier uniquement

si vous pratiquez une pêche statique avec campement fixe. C'est aussi un choix intéressant si vous avez prévu de cuisiner un peu ou si vous partez à deux.

Pensez à emporter dans votre attirail une pierre à feu qui produit des étincelles par friction, bien plus fiable que les allumettes et les briquets sensibles à l'humidité.

La popote

Derrière ce nom un peu suranné se cache la batterie de cuisine de l'aventurier utilisée par tous les baroudeurs du monde, des forces spéciales de toutes les armées en passant par les guides de tout poil et amateurs de survie en tout genre. Gros plan sur un accessoire mythique indispensable.

• La popote simple

Elle se compose le plus souvent d'une à deux assiettes emboitées dans un récipient plus grand, doté d'un bras qui peut-être utilisé comme une casserole. Le tout, généralement en aluminium, contient aussi un quart pour les boissons et deux couverts en fer-blanc.

• La popote équipée

C'est la version « de luxe » de la popote simple car elle contient de multiples ustensiles de cuisine et parfois une casserole supplémentaire.

Optez pour la popote simple si vous partez en solo et avez besoin de rester mobile et léger. Préférez la version rectangulaire qui se range plus facilement dans le sac à dos et possède un look « vintage commando », rappellant qu'on a tous adoré jouer au soldat...

Le couteau de pêcheur

Sûrement votre meilleur ami lors de votre expédition, une raison suffisante pour choisir le bon modèle... Le couteau de pêcheur se place dans la famille des poignards, car il est constitué d'une

lame fixe et large, et possède une garde. Solide, il se révèlera vite in-dispensable pour tous les travaux qui exigent une lame efficace et robuste.

Le couteau multifonctions

Indispensable, il possède tous les outils dont vous ne pourrez vous passer : ouvre-boîte, décapsuleur, pinces, ciseaux, poinçons, etc. Mais c'est un couteau plutôt fra-gile du fait des nombreuses articu-lations qui le composent. Le mieux est donc d'emporter avec vous un second modèle plus robuste.

Les bobos du pêcheur

Parce qu'en milieu naturel un pe-tit accident tout bête peut vous gâcher la vie, la trousse de secours est un des indispensables de votre paquetage.

Votre trousse de secours

• Des compresses stériles,
• du désinfectant,
• des pansements à découper,
• du sparadrap,
• une paire de ciseaux,
• du gel antiseptique pour les mains,

- de l'aspirine,
- de l'écran total,
- un tube de Biafine®.

Il existe aussi dans les grandes surfaces dédiées aux articles de sport des trousses de secours déjà constituées qui feront tout à fait l'affaire.

Un peu de secourisme...

Quelques conseils et techniques pour parer au plus pressé en attendant une vraie prise en charge médicale si cela doit avoir lieu.

Les plaies

Commencez par nettoyer la plaie en en retirant avec une pince à épiler tous les corps étrangers. Si la plaie a été en contact avec de la terre nettoyez-la méticuleusement. Enlevez les chairs mortes autour de la plaie et arrosez-la avec de l'eau bouillie pour enlever toutes les impuretés. Enfin, nettoyez minutieusement du centre de la plaie vers la périphérie pour évacuer ce qui doit l'être. Afin d'éviter une infection, il est possible de tremper la plaie dans un bain d'eau salée. Appliquez un pansement propre et sec et changez-le aussi souvent que nécessaire. S'il dégage une odeur désagréable ou si la douleur autour de la plaie devient lancinante, c'est le signe d'une infection.

Les brûlures

Le premier geste est d'éteindre les flammes en étouffant le feu avec des couvertures ou en plaquant la victime au sol si ses vêtements prennent feu. Enlevez les vêtements et les bijoux, puis réduisez la température en plaçant la zone brûlée sous un débit d'eau froide moyen pendant au minimum dix minutes. Pansez ensuite la brûlure avec des pansements secs et stériles. Si vous n'en avez pas, vous pourrez plus tard faire bouillir des écorces de chêne ou de hêtre pour les ramollir et les placer ensuite sur la zone brûlée. Veillez à bien hydrater la victime en lui faisant boire de petites quantités d'eau froide.

Les pertes de connaissance

Assurez-vous d'abord que la victime respire, qu'elle n'est pas blessée à la colonne vertébrale et qu'aucun obstacle n'obstrue sa bouche. Placez-la ensuite en position latérale de sécurité (PLS).

Les membres opposés doivent être repliés vers le haut du corps, la victime étant placée sur le côté. Tournez la tête vers la main placée à l'intérieur. Positionnez bien la mâchoire en avant et vérifiez que la langue est à sa place. Enfin desserrez cols, boutons et ceintures pour faciliter la ventilation de la victime.

Les étouffements

Chez l'adulte, l'étouffement par ingestion d'un corps étranger est généralement traité par la manœuvre de Heimlich.

Positionné derrière la victime ceinturez-la avec vos bras sous les côtes. Exercez une forte pression sur l'abdomen en impulsant une secousse rapide vers le haut. Répétez la manœuvre quatre fois. Si cela ne suffit pas, administrez quatre coups secs et puissants entre les épaules pour évacuer le corps étranger et exécutez à nouveau la manœuvre de Heimlich.

Les morsures de serpent

Pour empêcher la diffusion du venin dans l'organisme, rassurez la victime et essayez de la détendre tout en maintenant la région mordue plus basse que le cœur. Lavez la morsure (avec du savon si vous en avez) et posez au-dessus un premier bandage compressif puis un second. Le but est de freiner la diffusion de la toxine vers le cœur. Plongez la région mordue dans l'eau froide et rafraîchissez-la au maximum.

Les piqûres d'insectes

En cas de piqûre par une abeille ou un frelon, retirez le dard très soigneusement et n'appuyez jamais sur la zone de la piqûre.

Appliquez ensuite la méthode décrite ci-dessus pour soigner les morsures de serpent.

Les ultimes préparatifs

Ça y est, le grand jour est arrivé ! Enfin presque, puisqu'il est temps de penser à rassembler votre matériel avant le départ demain matin. Conseils pour le chargement, checklist et ultimes mises au point occupent ce dernier chapitre avant l'aventure, histoire de vous faire passer une bonne nuit et de vous éviter l'insomnie du type : « Ai-je bien pensé à prendre mes hameçons n° 14 et mes émerillons de rechange ? »

La checklist du pêcheur

Avant de commencer à rassembler tout le matériel nécessaire à votre expédition, munissez-vous

de la checklist suivante et barrez chacun des éléments au fur et à mesure que vous les apportez au point de chargement, derrière votre véhicule. Bien sûr, en fonction du type de pêche que vous pratiquez et la météo, vous devrez faire votre sélection dans cette liste impressionnante...

Le matériel de pêche

Cannes, moulinets, petit matériel contenu dans une boîte (hameçons, émerillons, bas de ligne, boîte de plombs, flotteurs, bobines de fil), cuillers, poissons-nageurs, leurres souples, dégorgeoir, sonde, épuisette, panier-siège, seau à amorces, amorces, appâts, assommoir, repose-cannes, détecteur de touches.

Le matériel du bivouac

Tente, matelas ou tapis de sol, sac de couchage, couverture supplémentaire, lampe de poche, lampe frontale, maillet, réchaud à gaz, popote, bassine, sacs-poubelle, papier hygiénique, papier aluminium, papier journal, trousse de secours, allumettes, briquet, détergent, crème solaire, chargeur de téléphone portable, appareil photo.

Les vêtements

Bonnet, chapeau, casquette ou bob, lunettes de soleil, quatre tee-shirts, un sous-pull protégeant du froid, une polaire, deux sweats à capuche, vêtement de pluie, gants, short, deux jeans, quatre paires de chaussettes dont une d'hiver, pantalon de jogging, tongs, deux paires de chaussures, une paire de bottes ou cuissardes. Votre plus strict nécessaire de toilette : brosse à dent, dentifrice, savon, gant de toilette, serviette.

Les outils

Une pince coupante d'électronique, une pince plate d'électronique, une paire de ciseaux, un couteau multifonctions et un couteau de pêche (les deux parfaitement aiguisés), un petit outil pour creuser la terre, une pelote de cordelette, de l'adhésif épais, de la colle cyanolate.

Les vivres

Des en-cas sucrés, des sandwichs pour deux déjeuners, deux plats à réchauffer au gaz, un pack d'eau, deux sachets de thé ou de café soluble, du pain (bio il se conserve mieux). Et dans une boîte hermétique : du beurre, un peu d'huile, du sel, du poivre et du sucre.

Le chargement

Il existe une expression qui dit qu' « un bon chargement, ça se cale dès le premier virage ». N'empêche. Pour des raisons pratiques lors du déchargement et parce que certains objets emportés sont fragiles (les vifs, l'amorce, les brins les plus fins de vos cannes...), il y a quand même une procédure à suivre. La voici.

• Chargez les éléments les plus lourds au fond de votre coffre.

• Si vous transportez des liquides, arrangez-vous pour les caler le plus loin possible de l'ouverture de votre coffre.

• Les textiles (duvets, tapis de sol, vêtements) peuvent vous servir à caler les objets durs (boîtes, seaux).

• Terminez par le chargement de vos cannes en dernier, placées par-dessus l'ensemble de votre matériel et si possible emballées dans des housses de transports avec poignées.

Importantes précautions à prendre avant le chargement

1• Si vous pratiquez une pêche itinérante, assurez-vous que vous avez réellement la possibilité de pêcher avec l'ensemble de votre matériel sur le dos ! Si ce n'est pas le cas, pensez à un circuit vous permettant de laisser le matériel du bivouac dans votre véhicule à la fin de la journée.

2• Essayez toujours votre tenue de pêche chez vous avant le jour J, et munissez-vous de tout le matériel dont vous aurez besoin quand vous serez en action de pêche en le répartissant dans vos poches. Ce petit test vous permettra de vérifier que chaque objet trouve sa place et vous épargnera d'agaçantes minutes à rechercher « ce fichu dégorgeoir » au moment même où vous aurez devant vous une carpe de 12 kg se débattant...

La nuit, le réveil et l'heure du départ

La veille de l'ouverture de la pêche, la plupart des pêcheurs ne dorment que d'un œil. Leur sommeil est peuplé de lignes cassées et de poissons géants, ils se réveillent même parfois bien avant l'heure. Autant vous le dire tout de suite, il y a peu de chance pour que vous échappiez à la règle !

L'excitation

Elle est tout à fait normale et signe que cette petite expédition en pleine nature vous tient à cœur. Les nombreux préparatifs que vous avez effectués ne vous empêcheront pas de ressentir cette excitation propre à tous les hommes qui se lancent aux petites heures du jour dans une aventure extraordinaire (chasseurs, soldats, explorateurs, artistes la veille d'un concert, joueurs avant un match décisif, etc.). Cette petite dose de stress, qui va vous empêcher de dormir comme une souche et vous réveiller bien avant l'heure, est productive, elle va agir comme un dopant naturel en vous donnant l'énergie nécessaire pour profiter à fond de ces deux jours loin de votre quotidien.

L'heure du départ

Tout dépend de la saison, de l'heure de lever du soleil et surtout de la distance qui vous sépare de votre lieu de pêche. Plus il sera loin, plus vous devrez vous lever tôt (logique). Malgré tout, il est inutile de vous réveiller à 3 heures du matin et faire de longues heures de route parce que vous tenez absolument à vous retrouver avant le lever du soleil sur votre lieu de pêche !

Dites-vous que vous avez presque 24 heures de pêche devant vous et que, si votre destination est un peu éloignée, une mise à l'eau de vos lignes le premier jour en fin de matinée est préférable à de gros coups de barres en milieu d'après-midi, synonymes de siestes obligatoires qui vous gâcheront la vie...

D'une manière générale comptez environ une heure trente de préparation avant l'heure du départ, le temps de prendre une dernière douche (profitez-en...) et d'avaler un petit déjeuner chaud et copieux, car la fringale du milieu de matinée sera terrible !

Pendant la pêche

Ça y est ! Vous voilà enfin arrivé ! L'air est frais, le soleil
n'est pas levé et la nature encore endormie est bien
silencieuse, enveloppée dans la rosée nocturne.
Vous êtes seul et l'aventure peut enfin commencer...
Enfin presque. Car avant de lancer vos premiers coups
de ligne, vous allez devoir examiner le site pour dégoter
le meilleur poste de pêche, observer minutieusement
l'eau pour débusquer les poissons, sonder le fond afin
d'amorcer efficacement, mais aussi acquérir les gestes
adaptés à la pêche que vous avez décidé de pratiquer...

Cette seconde partie se propose de vous initier
aux techniques de pêche indispensables que la plupart
des pêcheurs acquièrent avec l'expérience. Vous serez aussi
guider dans la mise en place de votre bivouac et de votre
coin cuisine. Enfin, vous y trouverez une sélection de
recettes pour votre déjeuner, mais aussi votre dîner, histoire
de reprendre des forces avant une nuit bien méritée...

L'arrivée sur le site

Le moment tant attendu est arrivé et dans quelques minutes vous allez pouvoir jeter vos lignes à l'eau, le cœur battant, dans l'espoir de remonter votre premier poisson ! Un but que vous n'atteindrez qu'après avoir observé la nature pour dégoter le bon spot, et avoir amorcé votre coup si nécessaire.

Trouver le bon spot

Que vous pratiquiez la pêche au coup plutôt statique ou une pêche de maraude, avant de lancer vos lignes, il vous faut dégoter le bon endroit pour vous installer et savoir « lire » l'eau.

Pour la pêche au coup

Compte tenu de l'important matériel que vous allez déployer, le plus important est déjà de repérer les zones les plus dégagées. À fortiori si vous pratiquez la pêche à la longue canne qui requiert un espace de recul impor-tant pour sortir le poisson de l'eau. Vous devez pouvoir installer votre spot de pêche au plus près de l'eau avec votre batterie de cannes, votre panier-siège, ainsi que votre bivouac au complet à proximité.

Du côté de l'observation de l'eau, c'est avant tout le poisson recherché qui va déterminer le lieu où vous lancerez votre ligne. Si vous courtisez l'ablette, privilégiez les secteurs d'eau claire et courante ; pour le goujon, les fonds à gra-viers ; le vairon, les secteurs à truite ; le poisson-chat, les eaux troubles et stagnantes, etc. Ap-prenez aussi à lire les indices à la surface de l'eau. Lorsque des bulles se forment près de la surface, cela signifie que des brèmes ou des carpes remuent le fond de l'eau à la recherche de nourriture et libèrent des bulles de gaz formées par les végétaux en décomposition. Vous pouvez donc amorcer à proximité !

Pour la pêche itinérante

Dans cette pêche, c'est votre coup d'œil qui va vous aider à choisir les bons spots où vous installer. Pour le bivouac, si vous avez opté pour un paquetage léger que vous transportez toute la journée, le soir arrêtez-vous de préférence dans une zone peu fréquentée, abritée et plutôt surélevée, afin d'éviter l'inondation en cas de forte averse.

La lecture de l'eau est primordiale dans cette pêche ! Recherchez les souches immergées, les avals de rochers créant des remous, les herbiers, ou les zones plus calmes en fonction des poissons qui vous intéressent. Les frondaisons en bord de berges et leurs cavités sont d'excellentes cachettes souvent occupées par les poissons pour se reposer ou comme postes de chasse. Les nuées d'insectes qui se posent au milieu de l'eau font aussi d'excellentes stations de pêche pour votre mouche sèche, tout comme les branches d'arbres fruitiers qui pendent au-dessus de l'eau. Au fur et à mesure de votre balade, vous poserez votre ligne en fonction de tous ces éléments.

Réussir son amorçage

Si vous pêchez au coup, un amorçage réussi garantira presque à coup sûr une pêche fructueuse. Le but poursuivi est simple : attirer puis fixer les poissons ciblés sur le coup. Un basique qui demande tout même une certaine technique...

Amorcer en étang

Avant de commencer à amorcer, il est impératif de sonder votre coup pour prendre connaissance de la physionomie du fond et placer votre amorce en fonction de celui-ci (voir le chapitre « L'art de sonder »).

Une fois le sondage effectué, si le fond gagne en profondeur au fur et à mesure que vous vous éloignez de la berge, il faut absolument que vous visiez une zone un peu en retrait du scion (le bout de votre canne). Les boules compactes que vous jetterez auront ainsi tendance à rouler légèrement sur le fond vers votre ligne, et à se désagréger en formant un nuage d'amorces où vous jetterez votre appât.

Si au contraire le fond est plat mais que vous remarquez un petit courant, le mieux est d'amorcer

un peu en amont de votre ligne. Le courant dispersera les amorces vers elle attirant du même coup les poissons vers l'appât. Pour jeter votre amorce, vous pouvez bien sûr le faire à la main comme on joue à la pétanque, mais vous pouvez aussi vous équiper d'une fronde spéciale qui vous permettra de gagner en précision.

• **Petit conseil :** pour amorcer toujours au même endroit, prenez un point de repère sur la berge d'en face lorsque vous avez décidé de l'emplacement de votre ligne. Ensuite, pour la distance, fiez-vous à la longueur de votre canne !

Amorcer en rivière

La technique est similaire à celle de l'amorçage en étang, à ceci près que vous devrez tenir compte d'un courant bien plus fort. Lors du sondage, l'idéal est de trouver une zone (appelée « coulée ») qui remonte un peu à l'aval de votre ligne. Les poissons se posteront tranquillement à cet endroit qui a le mérite de retenir votre amorce. Plus le courant est fort, plus vous devez amorcer en amont. À noter que le choix de l'amorce est ici très important ! Pour lutter contre le courant votre amorce devra être lourde et chargée en argile ou en sable par exemple. À vous d'adapter votre recette en fonction des informations que vous aurez relevées lors de votre arrivée, ou mieux, de votre repérage !

Amorcer en canal

Le canal est un milieu très particulier soumis au trafic des bateaux, ce qui a tendance à créer du courant et à disperser l'amorce. Celle-ci a donc tout intérêt à être lourde, compacte et à dispersion lente. Concernant la zone d'amorçage, il faut viser une zone de plat. Pour cela, une seule solution : le sondage. Comme les canaux sont creusés en escaliers, en sondant vous devez parvenir à détecter la « marche » où vous pourrez amorcer.

• **Astuce :** lors du sondage, si votre plomb s'enfonce, c'est que le fond est constitué de vase. Cette dernière empêche l'amorce d'éclater au fond de l'eau et gêne sa dispersion. Pour pallier cet inconvénient, le mieux est de créer un tapis terreux sur votre zone d'amorçage en lançant quelques boules de terre à l'endroit convoité avant d'amorcer.

L'art de sonder

Le sondage est une étape obligatoire si vous vous lancez dans la pêche au coup et la pêche à fond. Un sondage réussi vous permettra de connaître non seulement la profondeur de l'eau mais aussi la nature du fond et sa physionomie.

La sonde

Il s'agit tout simplement d'un poids que vous fixerez à votre hameçon grâce à un système de pinces. Ce type de sonde suffit largement pour les pêches proches de la berge, mais si vous pratiquez la bolognaise ou la pêche à l'anglaise vous aurez sans doute besoin d'une sonde avec bouton-poussoir, qui a l'avantage de mieux résister à la violence du lancer sur de longues distances.

La technique

Lancez votre ligne sur le coup sondé et observez la réaction de votre flotteur.

• S'il flotte bien droit et que seule son antenne dépasse de l'eau, c'est qu'il est correctement placé ! Vous avez de la chance...

• S'il coule avec le bas de ligne, c'est qu'il doit être remonté vers le haut de la ligne.

• S'il flotte horizontalement, c'est qu'il est placé trop loin de votre bas de ligne et qu'il faut le descendre vers celui-ci.

Pour connaître la physionomie de votre coup, vous devez sonder une zone d'environ un mètre de diamètre. Ce sondage va vous permettre de savoir si le fond est en pente et de quel côté, s'il est encombré d'herbiers, voire même de connaître ce qui le compose. Dans le cas où le posé de votre sonde est franc et immédiat, pas de doute, le sol est plutôt dur. Vous pourrez amorcer sans problème. Au contraire, si vous sentez que votre sonde s'enfonce et que le posé est mou, cela signifie que le fond est vaseux et que vous allez devoir placer un tapis de terre avant d'amorcer.

Vite, à la pêche !
Les bons gestes du pêcheur

Le lieu est parfait. L'amorce est en place, vos lignes sont montées et réglées. Vous êtes paré pour votre premier lancer. Voici donc les bons gestes à mettre en action classés selon le type de pêche que vous pratiquez.

La pêche au coup traditionnelle

Contrairement à ce que l'on pourrait imaginer, le pêcheur au coup avec sa longue canne n'attend pas paisiblement que le poisson veuille bien mordre ! Toute la subtilité de cette pêche tient dans les manœuvres que vous devez effectuer pour « convaincre » le poisson de mordre à l'appât.

En étang
Pour aguicher le poisson, votre appât devra avoir l'air vivant. Les mouvements que vous lui ferez exécuter exciteront le poisson, sensible visuellement à vos manœuvres comme aux autres perceptions sensorielles puisqu'il capte les vibrations. Tirez par à-coups votre ligne verticalement et déplacez-la sur les côtés de temps à autre en la faisant trembler.

En rivière
Lancez votre ligne bien en amont de votre coup de façon à ce que le courant la porte vers lui progressivement. Maintenez votre ligne tendue pour pouvoir exercer un ferrage rapide en cas de touche. Retenez de temps à autre votre ligne lors de la dérive, afin que ce soit l'appât qui se trouve devant, et non le flotteur.

Faites de votre mieux pour lancer votre ligne discrètement et placer votre flotteur en douceur.

La pêche à l'anglaise au flotteur

C'est le premier geste à maîtriser dans la pêche à l'anglaise. Rassurez-vous, la technique est simple et facile à mettre en œuvre. Amenez la canne derrière vous en position verticale puis relevez le pick-up du moulinet. Saisissez la ligne sortant de ce dernier avec votre index. D'un geste ample, projetez la ligne vers l'avant en relâchant votre doigt.

La ligne se déroule avant de toucher l'eau. Vous devez la freiner en plaçant votre index sur la bobine du moulinet. Au moment où elle atteint sa cible, stoppez son déploiement en appuyant sur la bobine. Le flotteur touche l'eau et le reste de la ligne (la bannière) s'étale.

La pêche à l'anglaise : tout est dans le lancer.

Rembobinez l'excédent de fil et plongez le bout de la canne (le scion) dans l'eau pour que la ligne soit tendue et que vous puissiez contrôler son mouvement.

Dès qu'une touche se manifeste, moulinez quelques mètres sans bouger le scion.

• **Astuce :** pour être sûr de toujours lancer à l'endroit où vous avez amorcé, prenez un point de repère sur la berge d'en face et marquez la ligne au niveau du moulinet d'un coup de feutre afin de maîtriser la distance de votre lancer.

L'aguichage

Comme dans le coup traditionnel, il est essentiel de faire évoluer la ligne. Si vous pêchez en eaux calmes, ramenez progressivement un peu de ligne en tournant le moulinet. Si vous pêchez en eaux courantes, vous pouvez la tirer par à-coups de façon à faire dandiner l'appât.

Lire les touches

En eaux calmes, il arrive souvent que le flotteur ne pique pas vers le fond mais se couche ou se déplace sur le côté. Il faut ferrer, car il y a de grandes chances pour qu'une brème ou tout autre poisson fouisseur soit en train de mordre. En rivière, il est plus facile de détecter une touche car le mouvement sur le côté du flotteur sera arrêté par le courant qui le fera plonger. Là aussi, il est urgent de ferrer le poisson.

La pêche à l'anglaise à fond

Le lancer et la mise en place de la ligne sur le coup s'effectuent de la même manière que pour l'anglaise classique. La principale différence tient dans la lecture des touches à l'aide des détecteurs. Si vous avez opté pour un quivertip ou un swing-tip, vous devrez utiliser un écran protecteur gradué qui vous permettra de mieux lire les touches.

L'anglaise au fond : finesse et précision grâce au détecteur de touches.

Lorsqu'une touche se produit, le quiver-tip se courbe en fonction de celle-ci. L'écran gradué vous permet d'analyser sa force et la réaction à adopter. La touche est marquée par un départ sur le côté ou le haut du détecteur.

Une fois le poisson ferré, laissez votre ligne partir quelques mètres, afin de prévenir toute embardée et éviter que la ligne ne se rompe. Lorsque le poisson est plus calme, remontez la canne et ramenez un peu de fil avec le moulinet de façon à former un angle de 45° avec la surface de l'eau. Mais attention ! Soyez toujours près à laisser un peu de mou au poisson qui a des comportements imprévisibles et parfois très violents !

La pêche à la bolognaise

Vous utiliserez ici la même technique de lancer et de repérage de votre coup que dans la pêche à l'anglaise. La bolognaise se différencie d'abord de l'anglaise par la position que vous devez adopter. Debout, la canne positionnée à 45° par rapport à la surface de l'eau, vous devez surveiller la progression de la ligne dans le courant sur votre coup, en gardant la bannière bien tendue. Comme dans l'anglaise cependant, vous devez aussi contrôler le déroulement de la ligne en frottant votre index sur la bobine du moulinet, dont le pick-up doit être ouvert.

La lecture de la touche

Dans la bolognaise, puisque vous pêchez dans une rivière large où le courant est puissant, vous aurez la chance de détecter une touche très facilement. Dans la plupart des cas, le flotteur coule franchement et vous ne devez pas tarder à ferrer !

Le ferrage et le combat avec le poisson

Dès que vous aurez ressenti une touche, vous effectuerez un tour de

La bolognaire : il faut maîtriser la dérive de sa ligne.

manivelle pour rabattre le pick-up et commencer à ferrer le poisson.

• **Un conseil :** comme votre coup se situe souvent loin de la berge dans cette pêche, il vaut mieux effectuer un geste appuyé pour bien accrocher votre proie et ferrer. Si vous arrivez à accrocher un gros spécimen (ce qui risque d'arriver avec la bolognaise...), le combat sera rude et vous devrez procéder par pompages pour épuiser votre proie. Comme dans l'anglaise, vous devrez relever votre canne puis mouliner le surplus de fil en lui redonnant sa position initiale.

La pêche à la surprise

Outre les nombreux déplacements et la « lecture » de l'eau qui compte pour beaucoup dans cette pêche, c'est le lancer très particulier qui caractérise la surprise. Posséder une bonne technique vous permettra d'aller poser l'appât à des postes inaccessibles et donc de traquer des poissons peu sollicités par les autres pêcheurs. Il existe plusieurs techniques de lancers qui sont toutes adaptées aux berges parfois encombrées des rivières. En voici une assez simple à maîtriser :

Le lancer arbalète

• Déroulez votre ligne d'une longueur équivalent à celle de votre canne et ouvrez le pick-up de votre moulinet. Avec votre index, retenez le fil sortant de celui-ci.

• Avec votre main libre, attrapez le bas de la ligne en formant une boucle juste au-dessus de l'hameçon. Bandez le scion de la canne de façon à créer une tension sur le bas de ligne.

• Visez le poste que vous souhaitez explorer en orientant le bout de votre canne et relâchez le tout de façon à projeter l'appât vers votre cible.

• L'appât se pose sur l'eau comme le ferait n'importe quel insecte, et attire ainsi l'attention des poissons alentour...

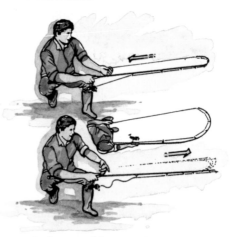

Le lancer arbalète, bien pratique pour attraper des proies peu communes.

146

Une pêche de discrétion

Le but étant de pêcher presque à vue (c'est-à-dire en ayant repéré le poisson), une approche furtive de la zone est obligatoire si vous ne voulez pas faire fuir votre cible. Ainsi, tantôt accroupi, tantôt à plat ventre, vous devrez trouver la meilleure position pour poser votre ligne le plus discrètement possible.

Si vous ne repérez aucun poisson malgré tous vos efforts, vous pouvez prospecter les postes qui vous semblent attractifs (frondaisons, arrière de rochers immergés, trous dans les berges, souches immergées, etc.).

La touche et le ferrage

La touche se manifeste par un déplacement inhabituel de la ligne ou carrément par un gobage de l'appât de surface (sauterelle par exemple) si vous en utilisez un. Le ferrage doit être immédiat, sec, mais pas trop fort pour ne pas risquer la rupture de la ligne.

La pêche au toc

Le toc est une pêche très sensitive dans laquelle vous devez être très attentif à à ce que vous « dit » la rivière et ce que vous fait ressentir votre ligne.

La bonne position à adopter

Debout, tenez votre canne assez haute, et d'une main tâchez de contrôler la bannière pour ressentir les touches.

Le toc dans une petite rivière

Un peu comme dans la pêche à la surprise, vous allez devoir explorer tous les trous susceptibles d'abriter des poissons. Ici aussi, il faut se faire discret et éviter de porter son ombre sur l'eau sous peine de faire fuir les éventuelles proies.

Le toc dans une rivière large

Vous devez explorer les postes de façon plus systématique car le poisson a tendance à se cacher dans des endroits moins visibles immédiatement du fait de la surface du lit. Jetez votre ligne en amont et faites-la dériver en contrôlant son évolution avec la main qui tient le fil. Dans les deux cas, la bannière de la ligne doit être tendue pour vous permettre de détecter la touche (le fameux « toc toc »).

La technique du toc à l'italienne préconise d'animer votre appât en imprimant à la ligne des mouvements rapides de dandine qui attireront l'attention des poissons, surtout si l'eau est trouble.

Le ferrage

Il doit être efficace mais pas trop rapide de façon à laisser le poisson avaler (engamer) votre appât.

La pêche aux leurres

C'est une pêche de précision dont la particularité réside dans la maîtrise de l'animation des différents leurres et bien sûr du lancer. Voici donc une présentation de la technique de base du lancer, puis de l'animation des différents leurres.

Le bon lancer

Il existe plusieurs techniques mais en maîtriser une seule est déjà un bon début. Voici une description du lancer à la verticale :

La canne doit être placée au-dessus de vous, le scion légèrement orienté vers l'arrière. La ligne

Trois techniques simples pour lancer partout, quel que soit l'encombrement de la berge.

doit dépasser d'environ 60 centimètres. Ouvrez le pick-up du
moulinet et accrochez le fil avec
votre index. Lancez la ligne droit
devant vous en libérant le fil.

L'animation des leurres artificiels : la cuiller tournante

Comme ce leurre n'imite pas vraiment une proie, il vous faut l'animer avec des mouvements qui rap-
pelleront la nage d'un poissonnet,
dans le but d'exciter les poissons
et les inciter à mordre. La meilleure
technique consiste à ramener la
cuiller vers vous en alternant les vi-
tesses et en lui faisant exécuter de
petits bonds rapides et saccadés.

La cuiller ondulante

À l'instar de sa cousine la cuiller
tournante, celle-ci exige qu'on
la remonte par saccades pour
convaincre les poissons de l'attaquer, même si elle a tendance, de
par sa forme et son galbe, à mieux
imiter la nage d'un poisson.

Les leurres souples

Il y a autant de techniques d'animation qu'il y a de leurres souples,
c'est à dire une infinité ! Malgré
tout, une technique largement

répandue pour ce type d'appâts artificiels consiste à les ramener par à-coups, en les faisant par moments heurter le fond afin de provoquer un soulèvement de vase. Concernant les leurres de surface, n'hésitez pas à les faire évoluer dans les herbiers et les zones encombrées souvent fréquentées par les grenouilles et les insectes aquatiques, proies de nombreux poissons.

Les poissons nageurs

Certains sont coulants, d'autres flottants, quand d'autres encore sont de poids neutre. Ils évoluent entre deux eaux lorsqu'on les laisse au repos. Dans tous les cas, c'est lors de la remontée qu'ils s'animent, et encore une fois, mieux vaut les remonter par saccades de façon à imiter la nage d'un poisson. Enfin, il en existe des modèles flottants dont la technique d'animation consiste à exécuter de petits bonds sur la surface de l'eau, comme ceux d'une grenouille par

exemple. Irrésistible pour pêcher le black-bass ou encore le brochet... D'une manière générale, amusez-vous à créer vos propres techniques pour donner à vos leurres l'attractivité d'un appât vivant.

La pêche au vif

Elle permet de développer plusieurs techniques, dont voici les grands traits :

• **Si vous pêchez à poste fixe,** vous pouvez pratiquer à la ligne flottante et lancer votre vif après avoir sondé le poste. Votre vif nagera normalement entre deux eaux et attirera le poisson. Si ce n'est pas le cas, modifiez la profondeur et tentez de nouveau. Vous pouvez aussi essayer de pêcher à la plombée sans flotteur, et bien entendue de maintenir la bannière. La touche se manifeste par un départ de cette dernière.

• **Si vous pratiquez plutôt une pêche mobile,** vos pouvez essayer de pêcher à la sondée. La technique est simple et consiste à lancer des coups de sonde directement devant les cachettes probables des poissons. Attention cependant, car après le ferrage, ces derniers auront tendance à se terrer dans leur trou et il vous sera parfois difficile de les en sortir... Une autre technique consiste à animer le vif en lui faisant exécuter de petites embardées de façon à attirer l'attention des carnassiers alentour.

La pêche au mort manié

C'est toute votre inventivité et votre talent qui feront de votre poisson mort un poissonnet bien vivant aux yeux des carnassiers recherchés...

Le lancer

Lancez selon la méthode classique de la pêche au lancer décrite précédemment, puis attendez que le leurre touche le fond en contrôlant sa descente avec votre index.

L'animation

Une fois parvenu au fond, il faut que vous le décolliez en un geste vers le haut du scion, puis en plusieurs petits coups successifs qui le feront évoluer dans l'eau. Laissez-le ensuite redescendre au fond en baissant votre canne et en récupérant le surplus de fil avec le moulinet. Recommencez ce cycle. Pour pêcher le brochet, les mouvements de votre leurre ne doivent pas être trop brusques, et ce dernier doit demeurer sur le fond pour laisser au prédateur le temps de mordre. En ce qui concerne le sandre en revanche, allez-y franchement, faites virevolter votre poisson mort... Enfin pour pêcher la truite, la technique est similaire puisque cette espèce aime les proies animées. Dans une eau claire, utilisez la technique adaptée au sandre ; dans une eau plus calme préférez la dandine ; et dans une rivière, laissez votre leurre dériver dans le courant.

La touche

Pas toujours très franche, elle se manifeste parfois par un départ un peu mou de la ligne sur le côté ou par d'étranges frottements sur cette dernière. Pour ne pas passer à côté d'une capture, ferrez systématiquement de façon franche.

La pêche moderne de la carpe

Tout comme son matériel est sophistiqué, la technique de la pêche à la carpe possède bien des aspects particuliers. Ici, plus qu'ailleurs, avoir le bon réflexe est primordial pour éviter à votre ligne de casser.

Bien choisir son coup

C'est le premier pas vers une pêche réussie. Le coup choisi doit être situé sur un lieu fréquenté par les carpes. Observez la surface de l'eau : sauts, remous, bulles remontant, etc. Le coup sera aussi bien dégagé pour éviter les emmêlements et la fuite du poisson ferré dans les herbiers.

Installer son matériel

Les cannes doivent être installées sur un porte-cannes et munies de détecteurs de touches électroniques.

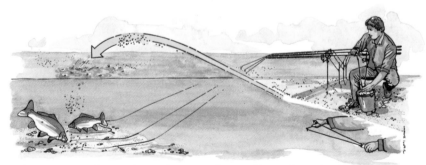

Amorcer avec une fronde est souvent indispensable pour atteindre les postes les plus éloignés.

La touche

Elle est signalée par le « bip bip » du détecteur et demande un ferrage rapide et franc du fait de l'épaisseur de la bouche du poisson.

Le combat

Il est souvent long et rude en raison de la taille de certains spécimens. La plupart du temps la carpe mord, fait un départ et se ferre toute seule si vous pêchez avec un plomb coulissant. Quand vous ferrez manuellement, elle cherche à se réfugier et fonce droit vers les obstacles. Pour la contrer, le mieux est de maintenir votre canne à 45° pour absorber les chocs. Comme elle tire derrière elle une longueur de fil importante, la carpe finit par se fatiguer et remonte d'elle-même à la surface. C'est à ce moment-là que vous pouvez l'attirer par une série de pompages. Abaissez la canne, bloquez le fil, remontez la canne, rembobinez l'excédent de fil en abaissant à nouveau la canne, puis recommencez. Attention à la mise en épuisette qui est un moment très délicat car votre prise peut repartir à l'eau en donnant un violent coup de queue !

Après la capture

Il est important de prendre soin de l'animal en le posant à plat sur un tapis prévu à cet effet pour le décrocher à l'aide du dégorgeoir.

La pêche à la mouche

Réputée élitiste, difficile à maîtriser, la pêche à la mouche accorde une grande place aux gestes, dont les plus simples permettent cependant au débutant de prendre rapidement un certain plaisir à l'action.

Le lancer

Plutôt que de vous abreuver de longs descriptifs des multiples sortes de lancers, voici une méthode simple qui vous permettra

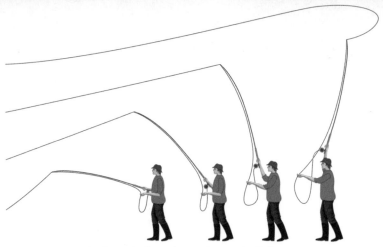

Le lancer de la mouche : un beau geste facile à acquérir.

de faire vos premières armes en tant que moucheur.

Tenez votre canne à la verticale au-dessus de vous. D'une main imprimez-lui un mouvement de balancier de 11 h à 14 h, et de l'autre tenez la soie qui sort du moulinet perpendiculairement à la canne.

Lorsque vous projetez la canne vers l'arrière, la soie suit le mouvement et bande le scion dans la même direction. Stoppez ce mouvement net à 11 h, puis lancez votre canne vers l'avant jusqu'à 14 h. La soie est propulsée devant. Accompagnez la descente de la mouche d'un mouvement lent de canne pour qu'elle se pose en douceur.

Où lancer ?

Sur les zones de gobage où des nuées d'insectes attirent les poissons, ou encore sur les postes fréquentés par les spécimens convoités. Pour rester le plus discret possible progressez vers l'amont de la rivière et lancez dans cette direction, car les poissons se tiennent toujours face au courant et ne vous verront pas arriver. Si vous devez pénétrer dans l'eau, veillez à le faire sans soulever de nuage de vase, sous peine d'être repéré !

Ça mord ! Que faire du poisson ?

Après deux heures d'attente et de ruses diverses, ça y, vous avez capturé votre premier poisson ! Malgré votre excitation et des gestes parfois approximatifs, il est enfin là sur la berge. Que faire maintenant ?

Un poisson épuisé

Si vous êtes au comble de l'excitation le cœur battant, le poisson, lui est très affaibli. Il a jeté toutes ses forces dans le combat qu'il a perdu et un hameçon est solidement accroché dans sa gueule... C'est un animal blessé qui vous fait face maintenant, et pour l'intensité des émotions qu'il vous a fait vivre, il mérite d'être traité avec respect, que vous choisissiez de le conserver ou de le remettre à l'eau.

Décrocher l'hameçon

C'est une opération délicate qui doit être réalisée le plus rapide-ment possible. Pour cela, vous devez utiliser un dégorgeoir qui vous permettra de tenir solide-ment l'hameçon et de le décrocher des chairs du poisson. Il existe plusieurs astuces pour éviter que l'hameçon ne provoque trop de dégâts sur votre poisson.

• Utilisez des hameçons sans ar-dillon. L'ardillon est ce petit pic situé au bout de l'hameçon qui empêche le poisson de se décro-cher trop facilement. Si vous avez pour habitude de rejeter vos prises à l'eau (voir le « no-kill » plus bas), l'ardillon empêche l'hameçon de se décrocher et blesse le poisson plus profondément. Vous pouvez aussi à l'aide d'une pince aplatir les ardillons de vos hameçons pour les rendre inoffensifs.

• Ferrez rapidement et fermement vos prises. Il faut éviter que le poisson « n'engame » (n'avale) trop profondément votre appât. Pour cela, dès la touche ressentie, ferrez le poisson d'un mouvement franc et net. L'hameçon ira se ficher solidement dans les lèvres de l'animal, la blessure sera limitée et le décrochage très simple.

Si vous respectez ces règles, dans la plupart des cas vous n'aurez même pas besoin de dégorgeoir et pourrez décrocher votre prise du bout des doigts. Si malgré toutes vos précautions, le poisson a engamé profondément votre appât, voici une méthode à appliquer pour un décrochage rapide et le moins douloureux possible :

1• Mouillez-vous les mains avant de saisir le poisson pour ne pas retirer le mucus protecteur qui recouvre son corps.

2• Saisissez-le fermement par le dos sans trop le serrer et placez-le

ventre en l'air. Dans cette position la plupart des poissons cessent de remuer. Attention à ne pas vous blesser car certaines espèces, comme la perche, possèdent des nageoires dorsales équipées de pics acérés. Vous pouvez vous protéger en portant des gants plastifiés que vous devez mouiller avant d'attraper le poisson.

3• Saisissez-vous du dégorgeoir et introduisez le fil dans la petite fente. Remontez le fil jusqu'à l'hameçon et passez-le dans l'extrémité de l'ustentile. Poussez l'hameçon vers le fond de la gorge du poisson pour le décrocher et ramenez-le vers vous.

Tuer un poisson proprement

De nos jours la plupart des pêcheurs pratiquent le no-kill et remettent leurs prises à l'eau. Le no-kill est une philosophie qui considère que le poisson pris a valeureusement combattu et qu'il doit être remis à l'eau en signe de respect. Pourtant, il se peut que vous décidiez de garder une truite pour votre consommation personnelle, et que vous soyiez dans la situation de devoir la tuer. Voici comment.

Tuer un petit poisson

Qu'il s'agisse d'en faire un appât pour la pêche au mort posé ou au mort manié, vous pouvez être amené à devoir tuer un poissonnet. Pour cela, vous devrez asséner une forte pichenette sur le sommet du crâne du petit poisson. Le choc sur son cerveau le tuera instantanément.

Tuer un poisson de taille moyenne

Une fois décroché, insérez votre pouce dans le gueule du poisson et positionnez votre index sur le sommet de son crâne. D'un coup sec, avec force, brisez-lui la nuque. L'animal meurt sur le coup et sans douleur.

Tuer un carnassier

Tuer un gros poisson comme un brochet ou un sandre devient une opération plus délicate, en particulier à cause de leurs mâchoires dentées qui interdisent l'utilisation de la méthode précitée. Pour tuer un de ces poissons, il faut lui asséner un très violent coup sur le sommet du crâne. Pour cela, utilisez un bâton en bois dur (un morceau de manche à balais par exemple). Leur mort est quasi instantanée, même si la méthode peut sembler barbare...

Remettre un poisson à l'eau, le no-kill

La plupart des pêcheurs modernes ont aujourd'hui pour habitude de relâcher leurs prises. Une opération généreuse qui nécessite un peu de méthode.

Une fois le poisson décroché, arrangez-vous pour lui laisser un temps de récupération en le plaçant dans votre bourriche immergée. Les carpes doivent être placées dans un sac spécial lui aussi immergé, car elles se blessent dans les mailles des bourriches. Après un quart d'heure de repos salvateur, les pieds dans l'eau, sortez le poisson de la bourriche et tenez-le à deux mains par le ventre. Plongez-le ainsi dans l'eau et faites-lui faire plusieurs allers-retours d'avant en arrière, de façon aussi douce que possible. Cette manœuvre permet au poisson de se réoxygéner progressivement avant de repartir. Au bout d'une minute, vous pouvez le laisser aller tranquillement.

La pêche, ça creuse !

Cela fait maintenant plusieurs heures que vous êtes au bord de l'eau à vous démener pour prendre du poisson, à remonter vos lignes, ajuster vos appâts, lancer puis relancer vos leurres... Et d'un seul coup d'un seul, vous voilà frappé de la fameuse fringale du pêcheur ! Mine de rien votre petit déj' est déjà bien loin et l'appel du repas de midi se fait cruellement ressentir... Voici donc une sélection de sandwichs, en-cas et autres casse-croûte à préparer avant votre départ et à déguster tout en pêchant.

Les en-cas de la matinée

Avant de penser au déjeuner et au magistral casse-croûte qui vous attend, voici une liste de petits en-cas à grignoter en matinée pour vous apporter l'énergie nécessaire lors de votre activité, bien plus physique qu'on ne le pense.

Les céréales

Riches en glucides et en sucres rapides lorsqu'elles sont condi-tionnées en barres, elles restent le compagnon idéal de toutes les activités sportives.

Les fruits secs

Abricots secs, bananes et mangues séchées vous aideront à faire le plein d'énergie tout au long de la journée.

Les fruits

Bananes, pommes et oranges sont des aliments faciles à emporter et à stocker.

Le casse-croûte de 11 heures, une institution !

En mer comme en eau douce, le casse-croûte de 11 heures est une véritable tradition ! Mode d'emploi.

Du pain...

De campagne évidemment ! Il doit être parfaitement frais. Le mieux est de l'acheter sur le trajet qui vous mène à votre spot de pêche au petit matin à peine sorti du fournil...

Du pâté

La terrine de campagne au poivre est le must du casse-croûte du pêcheur.

Des rillettes

Si vous n'appréciez pas la terrine de campagne, les rillettes sont une bonne alternative ! Choisissez-les au porc pour la version basique et à la viande d'oie pour un casse-croûte plus raffiné. Autant que possible évitez celles vendues en supermarché et achetez-les chez un charcutier, elles seront moins grasses et plus savoureuses.

Le trio du charcutier

La rosette, l'andouille de Bretagne et le saucisson à l'aïl restent les trois produits incontournables du buffet campagnard.

Bien sûr si vous êtes seul, inutile de vous lancer dans un buffet gargantuesque ! En revanche, dans le cadre d'une partie de pêche à plusieurs, c'est l'assurance d'un moment de convivialité qui requinquera toute votre équipe !

Les sandwichs du pêcheur

Parce que le sandwich est le meilleur ami du pêcheur lorsqu'il doit déjeuner sur le pouce, voici dix recettes à préparer la veille de votre départ.

Recettes à base de viande

— Le parrain

Avant de nous apprendre la pêche à la bolognaise, les Italiens avaient déjà mis au point l'art d'accomoder un sandwich...

• *pain ciabatta* • *pesto vert* • *jambon sec italien* • *tomates fraîches* • *tomates séchées* • *feuilles de laitue*

Égouttez les tomates séchées. Coupez le pain en deux et tartinez l'intérieur avec le pesto. Lavez puis coupez les tomates en rondelles. Garnissez le pain de jambon très finement tranché, de feuilles de laitue, de rondelles de tomates et de morceaux de tomates séchées. Enveloppez d'un film plastique et conservez au réfrigérateur.

— Le chasseur

Simple et efficace comme une cartouche de chevrotine. Retrouvez les saveurs de la terre dans ce sandwich automnal.

• *pain de campagne* • *jambon de Bayonne* • *feuille de chêne* • *noisettes* • *beurre salé*

Tartinez de beurre salé deux belles tranches de pain de campagne bien frais, ajoutez les noisettes pilées, la salade feuille de chêne et le jambon de Bayonne. Enveloppez d'un film plastique et conservez au réfrigérateur.

— Le gourmet

Viande de bœuf et garniture copieuse pour cette recette réalisée avec les restes du roast beef du dimanche...

• *baguette à l'ancienne* • *roast beef cuit* • *œuf* • *carotte* • *oignon rouge* • *laitue* • *persil* • *aïl* • *moutarde* • *citron* • *huile d'olive* • *sel, poivre*

Cuisez l'œuf 9 minutes pour qu'il soit dur. Peler et râper la carotte. Mixez l'œuf dur et la carotte râpée avec 2 gousses d'ail, du persil, un filet de jus de citron, une cuillère à soupe de moutarde, un trait d'huile d'olive, une pincée de sel et quelques tours de moulin à poivre. Ouvrez la baguette dans le sens de la longueur et nappez l'intérieur avec la préparation mixée. Enfin, garnissez votre sandwich de feuilles de laitue, de fines tranches de roast beef et de quelques rondelles d'oignon rouge. Enveloppez d'un film plastique et conservez au réfrigérateur.

— Le lord

Si vous deviez pêcher sur la Tamise ce serait ce sandwich qui vous accompagnerait...

....

• pain de mie • bacon
• œufs durs • tomate
• ciboulette • mayonnaise

....

Passez les tranches de bacon à la poêle pour les faire griller. Dans un bol écrasez les œufs, la mayonnaise et la ciboulette. Toastez les tranches de pain de mie. Tartinez une tranche avec le mélange et posez dessus une autre tranche, elle aussi tartinée.

Ajoutez le bacon et terminez le sandwich par une dernière tranche de pain tartinée du même mélange. Coupez le sandwich en diagonale, enveloppez d'un film plastique et conservez au réfrigérateur.

— Le Toulousain

Quand leurs canards ne finissent pas en confits, les pêcheurs du Sud-Ouest en fond de délicieux sandwichs...

....

• baguette au sésame • magrets de canard fumés • abricots secs • mâche • moutarde • fromage blanc • sel, poivre

....

Mélangez deux mesures de fromage blanc à une mesure de moutarde. Coupez les abricots secs en dés et ajoutez-les au mélange. Salez et poivrez selon votre goût. Ouvrez la baguette en deux et tartinez-en chaque face avec le mélange. Garnissez avec la mâche et les magrets de canard. Enveloppez d'un film plastique et conservez au réfrigérateur.

Recettes à base de poisson

— Le Odin

Toute la simplicité nordique dans ce sandwich au hareng fumé...

- *pain polaire* • *hareng fumé*
- *concombre* • *salade*
- *mayonnaise* • *crème fraîche*
- *paprika* • *sel*

Épluchez le concombre, coupez-le en rondelles et faites dégorger avec un peu de sel. Découpez le hareng fumé en lamelles. Mélangez 3 mesures de mayonnaise avec une mesure de crème fraîche et ajoutez une bonne pincée de paprika. Tartinez les deux tranches de pain avec ce mélange, ajoutez un peu de salade, les rondelles de concombre puis les tranches de hareng fumé. Fermez le sandwich, enveloppez-le d'un film plastique et conservez au réfrigérateur.

— La brise de mer

Quand les loulous de la French connection cassaient la croûte dans les calanques...

- *petite boule de pain* • *mesclun*
- *thon en boîte au naturel*
- *anchois* • *œufs durs*
- *haricots verts cuits* • *tomates*
- *poivron rouge* • *poivron vert*
- *oignon* • *fonds d'artichauts*
- *olives noires* • *tapenade verte*
- *huile d'olive* • *sel, poivre*

Lavez, épépinez et coupez en petits morceaux les poivrons, la tomate, l'oignon et les fonds d'artichauts, puis mélangez le tout dans un saladier avec le thon émietté, les olives noires dénoyautées et un filet d'huile d'olive. Poivrez. Coupez le pain en deux, arrosez chaque face d'un petit filet d'huile d'olive et tartinez-les de tapenade verte. Ajoutez ensuite le mélange et les filets d'anchois. Refermez, enveloppez d'un film plastique et conservez au réfrigérateur.

— Le Hollandais volant

Toutes les saveurs du plat pays dans un pain de seigle citronné...

• pain de seigle
• rollmops • salade verte
• citron • crème fraîche

Mélangez la crème fraîche au jus de citron et assaisonnez selon votre goût. Égouttez le rollmops, déroulez-le et tartinez le pain de seigle avec la crème citronnée. Garnissez avec le rollmops et la salade. Refermez, enveloppez dans un film plastique et conservez au réfrigérateur.

— Le boucanier

Rien de tel que le thon grillé et l'ananas pour grignoter sous le soleil de l'été...

• pain de campagne
• steak de thon • ananas tranché
• laitue • ail • basilic
• citron • mayonnaise
• vinaigre • huile d'olive

Préparez la marinade avec l'huile d'olive, le vinaigre, l'ail écrasé le

basilic ciselé. Poivrez et salez. Dans une assiette creuse, placez votre steak de thon, une ou deux rondelles d'ananas et la marinade. Laissez reposer au moins une heure au réfrigérateur. Mélangez la mayonnaise avec un trait d'huile d'olive, le jus de citron et le basilic haché. Dans une poêle, faites griller le steak de thon quelques minutes sans dessécher ainsi que les tranches d'ananas. Tartinez une tranche de pain de campagne avec la sauce et agrémentez de salade. Ajoutez le poisson avec les tranches d'ananas, puis refermez le sandwich. Enveloppez dans un film plastique et conservez au réfrigérateur après avoir laissé refroidir.

L'heure du bivouac

Bien avant que le soleil ne se couche, vous allez devoir penser à vous ménager du temps afin d'installer votre bivouac pour la nuit. C'est un moment important, car il a y un certain nombre de règles à respecter, qu'il s'agisse de sécurité, de simple bon sens ou de confort, pour pouvoir vous reposer après une bonne journée de pêche.

Où installer votre bivouac ?

Avant toute chose, vous pouvez d'ores et déjà faire une croix sur votre rêve de bivouaquer tranquillement au bord de la rivière à truites et vous endormir bercé par le doux ruissellement de l'eau... C'est un principe élémentaire : il ne faut jamais planter sa tente au bord d'un cours d'eau ! Orage, pluie soudaine et crue sont les pires ennemis du bivouac et même si le soleil est bien haut dans le ciel, sachez que dans cer- taines zones (en montagne par exemple) le temps peut varier en quelques heures et laisser pace à une soudaine crue au milieu de la nuit. Un vrai cauchemar !...

Préférez un espace éloigné du cours d'eau (au minimum 70 mètres), situé un peu en hauteur. Autant que possible, optez pour une surface plate et dégagée, à l'abri du vent. Ainsi, un rocher en surplomb ou le pied d'une crête constituent de bons abris.

Pensez aussi à orienter votre tente selon vos envies. Si vous préférez admirer le soleil couchant le soir

en préparant votre dîner, positionnez l'ouverture de votre tente vers
l'ouest. Mais si vous tenez absolument à vous réveiller face au soleil
levant, orientez celle-ci vers l'est.
Dans tous les cas, la priorité est de
placer l'ouverture à l'abri du vent.
Idéalement l'espace que vous
choisirez devra être plat et constitué d'une terre perméable. Dans
le cas contraire, en cas de forte
averse, le terrain se transforme-
rait en véritable cuvette, inondant
votre tente et tout votre matériel.

L'art du bivouac

Commencez par faire le tour
de votre espace, retirez-en les
grosses pierres et les éventuels
branchages. Si une bosse contra-
rie l'emplacement de votre tente,
essayez de l'aplanir un peu.
Déterminez ensuite la zone que
vous transformerez en cabinet
de toilette. Elle doit être éloignée

des regards sans être trop distante
de votre campement, et surtout,
surtout, facilement accessible
de nuit... Si nécessaire, balisez
le chemin qui y conduit avec un
ou deux morceaux de tissu blanc
posés au sol ou accrochés aux
branches. Creusez-y un trou de
quinze à vingt centimètres de
profondeur. À proximité, amas-
sez des débris végétaux (herbes
sèches, feuilles, aiguilles de pin,
terre) qui vous serviront à recouvrir vos excréments après chacun
de vos passages. Surtout ne jetez
jamais de papier hygiénique usagé
dans ce trou ! Emportez-le dans
un sac plastique fermé avec vous
et jetez-le dans une poubelle.

Avant d'installer votre tente, prévoyez aussi un espace où vous
stockerez vos déchets. Il ne doit
être ni trop proche de votre tente
(question de confort...) ni trop éloigné non plus. Pour ne pas le laisser à portée des rongeurs, tâchez
de suspendre votre sac-poubelle.

Le bivouac devant être le plus discret possible, essayez de camoufler cet espace à l'abri des regards (arbre, lisière de forêt, talus haut, muret, etc.).

Il est maintenant temps d'installer votre tente. Si l'atmosphère et la météo sont un peu humides, vous pouvez étaler sur le sol à l'emplacement de votre tente plusieurs brassées d'herbes hautes coupées ou de branchages souples de manière à vous isoler un peu plus du froid et de l'humidité. Pensez aussi à l'endroit précis où vous poserez votre matelas et votre sac de couchage et vérifiez que cet espace est bien plat. Comblez les éventuels trous ou irrégularités importantes avec des branches souples puis des feuilles. Si vous en avez une, c'est le moment de déplier une bâche protectrice sur le sol !

Lors du montage de votre tente, prenez bien le temps de respecter quelques règles élémentaires.

• Fixez fermement vos sardines dans le sol à un angle de 45° opposé à la tente. Évitez d'utiliser les sardines fournies par le fabricant de la tente et préférez les modèles tubulaires à section carrée en acier, bien plus solides.

• Fixez TOUS les haubans de votre tente pour limiter les risques de décrochage en cas de tempête. Tendez-les au maximum.

• Veillez à bien espacer la chambre du double-toit de votre tente si vous possédez un modèle classique.

Dans le cas où vous camperiez à la mi-saison et que le temps serait encore froid, pensez à isoler votre sac de couchage de votre matelas en intercalant entre les deux une couverture. Évitez d'utiliser une couverte simple, encombrante et peu isolante, investissez plutôt dans un modèle de l'armée américaine plus fin, plus efficace et plus léger, disponible dans n'importe quel surplus militaire.

Enfin, terminez votre installation en creusant une rigole de quatre à dix centimètres de profondeur autour de votre tente de façon à accueillir les eaux de ruissellements en cas d'averse et garder ainsi votre couchage bien au sec.

Le foyer et le coin cuisine

Sauf si la météo est exécrable vous aurez la possibilité de cuisiner votre dîner ailleurs que sous le petit auvent de votre tente... Choisissez un espace à l'abri du vent distant de quelques mètres de votre campement. Débarrassez-le de tous les débris végétaux secs et installez-y votre cuisine d'extérieur.

Si vous avez la chance et surtout l'autorisation d'allumer un feu de camp, creusez un trou dans le sol d'environ une vingtaine de centimètres de profondeur et disposez-y de grosses pierres. Une fois le foyer allumé, celles-ci diffuseront la chaleur qu'elles auront emmagasinée

et vous permettront d'augmenter l'efficacité de votre feu. Entourez votre foyer de grosses pierres pour l'abriter du vent et l'empêcher de se répandre hors du trou. D'une manière générale, il est inutile et dangereux d'allumer un foyer de plus d'un mètre de diamètre. Un trou d'environ quarante centimètres de large sera amplement suffisant.

Stockez à proximité de votre feu tout ce qu'il faut pour l'éteindre : eau, végétaux verts et terre.

Pour l'allumer, faites un tas pyramidal de petites brindilles et de bois sec. Une fois les flammes obtenues, ajoutez des branches de section plus larges. Répétez l'opération en augmentant la taille des combustibles jusqu'à pouvoir y placer deux bûchettes de dimension raisonnable. Inutile de le charger en grosses bûches si vous n'avez pas besoin de vous chauffer, ou si vous comptez utiliser ce dernier comme moyen de cuisiner... Si vous avez l'intention de cuisiner avec votre réchaud, prenez bien soin de stabiliser ce dernier sur une surface parfaitement plane et ininflammable (une pierre plate est idéale) à l'abri du vent. Là aussi, mettez de côté de quoi éteindre un début d'incendie.

Les règles du bivouac

Voici un ensemble de règles et autres précautions à prendre pour bivouaquer le cœur léger :

• Fermez toujours votre sac de couchage jusqu'au moment de dormir et vérifiez qu'il n'y a rien à l'intérieur avant de vous y glisser.

• Ne laissez jamais vos chaussures à l'extérieur de la tente. Avant de les enfiler, vérifier qu'aucun animal ou insecte ne s'y est réfugié durant la nuit.

• Si vos chaussures sont trempées, rentrez-les dans la tente et garnissez-les de papier ou de végétaux secs qui absorberont l'humidité pendant votre sommeil.

• Si vos vêtements sont trempés, effectuez toutes les tâches extérieures AVANT de rentrer dans la tente.

• Ne jetez JAMAIS vos déchets dans le feu. Surtout les emballages en aluminium.

Le dîner du pêcheur

Après une aussi longue journée, rien de tel qu'une petite pause pour retrouver les joies de la cuisine en plein air avec ses plats simples, que vous ayez la chance de disposer d'un feu ou que vous deviez vous contenter de votre réchaud à gaz. Voici donc une sélection de recettes faciles à réaliser adaptées aux conditions de votre bivouac pour vous régaler au bord de l'eau… et quelques trucs et astuces pour déguster vos prises du jour.

La cuisine au feu de bois

Cette cuisine à l'apparence alléchante est loin d'être aussi facile qu'il n'y paraît, tout l'art résidant ici dans la maîtrise de la chaleur et des flammes. Voici trois techniques simples qui vous permettront de réaliser les recettes présentées ci-dessous.

La cuisson en brochettes

Mieux qu'un système instable de broche tournante, les brochettes permettent une cuisson des aliments rapide et homogène du fait de la petite taille des aliments qui y sont enfilés.

Commencez par vous procurer des tiges de bois vert d'une longueur de 30 à 40 cm maximum. Surtout n'utilisez pas de bois mort car il brûlerait en même temps que vos aliments ! Répartissez les morceaux de viande, de légumes et de champignons puis posez les brochettes

en travers de votre foyer sur les pierres les plus hautes qui l'entourent. La braise doit être assez forte pour communiquer la chaleur aux aliments, mais pas trop près de ces derniers sous peine de les brûler sans les faire cuire à cœur. Une autre technique consiste à planter les brochettes à l'extérieur du foyer et à orienter leur extrémité vers le centre de celui-ci, un peu comme une pyramide. Au cours de la cuisson, faites-les tourner pour que toutes les faces soient exposées à la chaleur des flammes.

La cuisson sur pierres plates

C'est le principe de la plancha revu et corrigé à la sauce trappeur ! Choisissez des pierres plates assez épaisses (trop fines elles risquent d'éclater violemment) et placez-les sur les braises au centre du foyer. Bien sûr lavez-les avant de les utilisez ! Vous pouvez y déposer un peu de sel avant d'y placer vos aliments afin qu'ils n'accrochent pas. Retournez viandes et légumes fréquemment pour les saisir sur toutes les faces.

La cuisson en papillotes

Importée de nos cuisines modernes la cuisson en papillotes se prête à merveille à la cuisine au feu de bois ! Placez vos aliments dans une feuille de papier d'aluminium, refermez soigneusement le tout et placez les papillotes au centre du foyer sur une autre feuille d'aluminium pour les isoler. Les aliments seront cuits à la vapeur en quelques minutes ! Attention à ne pas vous brûler lors de la récupération de votre repas et l'ouverture des papillotes.

Les recettes du trappeur
• Brochettes de poulet façon nippone

Avant votre départ, coupez une ou plusieurs escalopes de poulet en petits morceaux de 2 à 4 cm de large. Réservez. Dans un Tupperware® en plastique, faites une marinade en mélangeant le jus d'un citron, du gingembre et une gousse d'ail écrasés, de la sauce soja et du poivre. Ajouter les escalopes en morceaux, refermez la boîte, secouez et conservez au réfrigérateur.

• **Croquettes de porc canadiennes**
Avant votre départ, coupez du filet mignon de porc en cubes de 2 à 4 cm d'arêtes. Réservez. Dans un Tupperware®, faites une marinade en mélangeant une petite poignée de cacahuètes écrasées, du sirop d'érable, du sel, du poivre et un peu d'huile de colza. Ajoutez le porc en morceaux, mélangez bien, refermez et conservez au réfrigérateur.

• **Brochettes de bœuf provençales**
Avant votre départ, découpez une entrecôte en cubes de 2 à 4 cm d'arêtes. Réservez. Dans un Tupperware®, préparez une marinade en mélangeant de l'huile d'olive,

du thym frais, du basilic haché et une feuille de laurier émincée très finement. Ajoutez une gousse d'ail écrasée, puis les cubes de viande. Refermez, agitez la boîte et conservez au réfrigérateur.

• **Légumes du soleil grillés**
Avant votre départ, lavez et épépinez un poivron vert. Découpez en rondelles une tomate et en fines tranches quelques champignons de Paris. Ajoutez des tomates confites si vous le souhaitez. Dans un Tupperware®, versez un filet d'huile d'olive, saupoudrez d'herbes de Provence, salez et poivrez. Refermez, secouez et conservez au réfrigérateur. Après les avoir égouttés et ôté l'excédent d'huile vous pourrez les faire griller sur les pierres plates quelques minutes pour accompagner vos brochettes par exemple.

• **Magrets au miel**
Avant votre départ, découpez un demi-magret de canard en

tranches d'environ 5 mm à I cm d'épaisseur. Réservez. Dans un Tupperware®, préparez une marinade en mélangeant du miel liquide et un trait de vinaigre balsamique, salez puis poivrez. Ajoutez le canard, mélangez, refermez puis conservez au réfrigérateur. Vous pourrez faire griller les magrets en morceaux sur les pierres plates.

• Pommes de terre en papillotes
Enveloppez de papier d'aluminium les pommes de terre préalablement lavées et jetez-les au cœur de votre foyer. Contrôlez la cuisson en y plongeant la pointe de votre couteau. Si elle s'enfonce facilement jusqu'au centre et que la pointe une fois ressortie est chaude, cela signifie que la cuisson est parfaite. Sortez les pommes de terre du feu à l'aide de deux baguettes de bois vert, ouvrez-les sans vous brûler, coupez-les en deux, salez, poivrez, ajoutez une noix de beurre et dégustez !

• Pommes de terre farcies
Lavez une pomme de terre, coupez-en une des extrémités et creusez-la. Remplissez du mélange suivant que vous aurez préparé avant votre départ : viande hachée, oignon émincé, fromage râpé, sel, poivre. Refermez avec l'autre morceau, emballez dans une feuille de papier aluminium et faites cuire debout (le « couvercle » sur le dessus). Contrôlez la cuisson comme indiqué ci-dessus, retirez du feu et dégustez !

La cuisine au réchaud à gaz

Ami du campeur, le réchaud à gaz n'apporte pas la magie du feu de bois mais présente l'énorme avantage de garantir une source de chaleur sûre (surtout quand il pleut...), uniforme et réactive.

• Risotto crevettes chorizo
Faites cuire un sachet de riz dans un

grand volume d'eau salée. Égouttez puis réservez. Décortiquez les crevettes et coupez le chorizo en tranches. Dans votre poêle faites chauffer un filet d'huile d'olive, faites-y revenir les crevettes à feu moyen avec les tranches de chorizo. Ajoutez le riz égoutté en pluie et mélangez le tout. Parfumez d'une pincée de safran, faites cuire à feu doux, salez puis poivrez.

• **Wok de boeuf**
Avant votre départ, faites mariner de fines tranches de boeuf dans un Tupperware® avec les ingrédients suivants : sauce soja, gingembre, ail écrasé, coriandre hachée, oignon émincé, germes de soja et pousses de bambou. Salez, poivrez et conservez au réfrigérateur. Le soir du dîner, faites cuire le tout dans un généreux filet d'huile de colza à feu moyen, puis dégustez très chaud dans un bol.

• **Omelette au jambon de pays**
Cassez les œufs dans un bol et mélangez à quelques dés de comté ou tout autre fromage à pâte dure. Faites fondre une noix de beurre dans une poêle et coupez le jambon de pays en fines lanières. Versez les œufs dans la poêle, ajoutez le jambon, assaisonnez et laissez cuire l'omelette à feu doux selon votre goût.

• **Coquillettes au bleu d'Auvergne et aux noix**
Faites cuire les coquillettes dans un grand volume d'eau. Égouttez puis réservez. Dans un bol, écrasez le bleu d'Auvergne mélangé à de la crème liquide. Dans une poêle, faites chauffer cette préparation à feu doux jusqu'à obtenir un mélange homogène. Ajoutez les noix brisées, puis les coquillettes. Salez, poivrez.

• **Breakfast du soir**
Faites fondre une noix de beurre dans une poêle, et cassez-y les œufs. Ajoutez des tranches de bacon, une demi-tomate cou-

pée en rondelles et deux belles tranches de cheddar. Salez, poivrez et faites cuire le tout selon votre goût (les œufs au miroir se prêtent bien à cette recette qui ne doit pas être trop sèche). Servez dans votre assiette par-dessus une belle tranche de pain.

Cuisinez les prises du jour !

C'est le fantasme de tout pêcheur que de consommer le jour même les trésors de sa pêche ! Le symbole est fort et renvoie aux rêves de gosse que l'on a tous faits, nous imaginant trappeur du Grand Nord ou aventurier au cœur de la jungle, contraint de chasser et de pêcher pour subsister. Un rêve devenu aujourd'hui une réalité où il va falloir assurer, maintenant qu'il s'agit de transformer cette belle truite en délicieux filets grillés au feu de bois !... Voici donc deux recettes vous permettant de dégus-

ter vos prises du jour, que vous pratiquiez le coup ou la pêche en rivière.

Videz votre poisson

C'est le B.A.BA de la cuisine du pêcheur ! Peu ragoûtante au premier abord, cette opération est obligatoire pour que le contenu des viscères de l'animal ne polluent pas le goût de la chair. La méthode est rapide et nécessite simplement l'utilisation d'un couteau de pêche bien aiguisé et de l'eau (courante si possible).

Commencez par laver votre prise à grande eau. Certains poissons comme la brème possèdent un mucus parfois abondant qui les protège lorsqu'ils sont dans l'eau, mais les rend totalement inconsommables si on ne les lave pas. Dans la rivière ou dans un seau rempli d'eau claire, lavez donc soigneusement votre poisson. Tenez-le ensuite par le dos, ventre en l'air. Introduisez la pointe de votre

179

couteau de pêche dans son anus, remontez le long de son ventre jusqu'à la base de la tête. Otez les viscères et lavez la carcasse. N'hésitez pas à bien enlever tout résidu provenant de cette opération en ouvrant bien le poisson en deux. Rincez abondamment une dernière fois et séchez votre prise.

Si vous pêchez en rivière
— Truite au feu de bois à la canadienne

• *1 bûche de 7 à 10 cm de diamètre et 40 cm de long environ dont vous aurez aplani un des côtés. Ce peut être une demi-bûche que vous aurez fendue par exemple* • *1 belle truite fario pêchée du jour* • *1 oignon jaune* • *1 citron* • *huile d'olive vierge extra* • *sel, poivre*

Pendant votre partie de pêche, faites trempez votre bûche trois ou quatre heures. Le soir, sortez-la de l'eau et amenez votre feu à un lit de braises rougeoyantes. Une

fois vidée et lavée, sectionnez les nageoires de la truite mais laissez la tête et la queue en place. Garnissez l'intérieur de rondelles de citron épépinées et de l'oignon coupé. Ajoutez un filet d'huile d'olive, salez puis poivrez généreusement les deux faces du poisson. Posez la truite sur le plat de la bûche et placez-la au centre de votre foyer directement sur les braises. Laissez cuire de 30 à 50 minutes jusqu'à ce que le poisson soit bien grillé des deux faces et que la chair se détache facilement de l'arête centrale.

— Truite meunière poêlée

• *1 petite truite fario pêchée du jour (elle doit pouvoir tenir dans votre poêle !)* • *farine* • *lait* • *citron* • *beurre salé* • *sel, poivre*

Après avoir vidé, lavé et séché le poisson, trempez-le dans le lait froid salé puis farinez-le généreusement. Faites fondre une belle noix de beurre dans la poêle jusqu'à le faire mousser. Une fois bien chaud, plongez-y la truite farinée et faites cuire environ 7 minutes par face. Salez puis poivrez. Dégustez avec un filet de citron.

Si vous pêchez en étang
— Friture traditionnelle

....

• environ 300 g de petits poissons frais pêchés au coup (goujons, ablettes, petits gardons), vidés et séchés • farine • citron
• huile de friture • sel, poivre

....

Roulez les petits poissons dans la farine en veillant à ce que chacun d'entre eux soit entièrement recouvert. Faites chauffer une bonne quantité d'huile dans une poêle et plongez-y quelques poissonnets jusqu'à ce qu'ils soient bien dorés. Égouttez-les et conservez-les dans une assiette garnie de papier absorbant enveloppée d'un papier aluminium pendant que vous cuisez le reste. Salez et poivrez généreusement, puis arrosez d'un filet de citron. Les petits poissons se mangent entièrement, avec les doigts.

Le repos du pêcheur

Le soleil est déjà couché depuis longtemps et la nature ne semble toujours pas endormie. Insectes, oiseaux et animaux sauvages sont bien éveillés et pourtant vous tombez littéralement de sommeil. C'est l'heure de regagner votre abri pour un petit moment de détente avant une bonne nuit de sommeil bien méritée.

L'extinction des feux

N'oubliez pas que votre bivouac est situé en pleine nature au beau milieu du territoire de nombreux animaux sauvages, du plus petit insecte comme la fourmi au plus imposant comme le sanglier. Votre présence, même pour une durée réduite, n'est pas anodine... Veillez donc à ne rien laisser traîner sur votre bivouac :

• Faites votre vaisselle et rangez votre popote dans votre sac à dos.

• Évacuez vos déchets dans la poubelle que vous avez préparée. Pensez à bien la fixer en hauteur loin de votre tente pour éviter l'invasion de fourmis et de rongeurs, ou attirer les chapardeurs de campagne que sont les renards et les sangliers.

• Éteignez votre feu à grande eau, dispersez-en les cendres froides, mouillez encore une fois celles qui sont tièdes. Dégagez bien le pourtour de votre foyer de toute source susceptible de s'enflammer (branches, herbes sèches).

• Camouflez et abritez de la rosée tout ce qui ne peut être stocké dans votre tente (réchaud à gaz, bouteille, glacière...). Vous pouvez recouvrir ces objets d'un grand sac plastique noir et les placer derrière un buisson ou des branchages.

• Vérifiez l'arrimage de votre tente, surtout si vous sentez le vent se lever ou bien s'il se met à pleuvoir.

• Rangez votre matériel de pêche à l'abri pour la nuit. Si votre canne est démontable vous devriez pouvoir la placer dans un étui et la stocker dans votre tente.

• L'amorce doit être entreprosée à l'extérieur, à l'abri de l'air et de l'eau, dans un seau fermé par un couvercle hermétique et placé en hauteur (à une branche d'arbre par exemple) loin de votre tente, pour ne pas attirer les bêtes sauvages.

La nature la nuit

C'est le moment d'observer ce qui se passe autour de vous et d'habituer vos yeux à l'obscurité... Éteignez votre torche, installez-vous confortablement contre votre sac à dos sur le sol et prenez le temps d'écouter les bruits de la nature. Si vous pêchez à la belle saison, les nuits peuvent être fraîches à cause de la rosée nocturne. Un bon sweat à capuche n'est donc jamais de trop, surtout si les moustiques passent à l'attaque !

Peu à peu, vos yeux s'habituent à l'obscurité et votre ouïe semble s'affiner. Bruissements de feuilles, craquements de branches, hululements des chouettes, c'est tout un monde qui s'éveille alors que vous vous préparez à aller vous coucher.

Mais qui sont vos voisins d'une nuit ?

• **Le renard :** actif dans les zones de bocage, il préfère chasser la nuit. Animal craintif, il n'hésite pourtant pas à s'approcher de certaines zones habitées, attiré par les poubelles... Son cri est aigu et facilement reconnaissable.

• **Le sanglier :** de jour comme de nuit, cet infatigable omnivore forestier s'attaque à tout ce qui ressemble de près ou de loin à de la nourriture !

• **La chouette :** elle se met en chasse une fois la nuit tombée et son hululement est reconnaissable entre mille. Son repas favori ? Les petits rongeurs tels le mulot et la musaraigne.

• **Les lièvres et lapins :** les léporidés sont de grands noctambules qui profitent de la nuit pour sortir de leur terrier en quête de nourriture.

• **Le blaireau :** vous l'observerez si vous savez vous armer de patience et que vous campez à proximité d'une forêt. Extrêmement craintif, il ne sort que la nuit et ne présente aucun danger pour l'homme malgré sa taille imposante.

• **Le rat des moissons :** tellement petit que vous ne le verrez sûrement jamais, mais entendrez son bruissement lorsqu'une fois couché vous prêterez l'oreille aux bruits alentour...

• **Le ver luisant :** à la belle saison les femelles possèdent un abdomen émettant une lumière.

• **La chauve-souris :** pas besoin d'attendre la nuit noire pour l'observer ! Au crépuscule, son vol faussement désordonné et frénétique la distingue facilement des oiseaux.

• **Le hérisson :** très répandu, il ne sort que la nuit et n'est pas toujours très discret !

• **Le grillon :** c'est LE bruit de la nuit ! Ils sont parfois des centaines à striduler simultanément.

• **Le ragondin :** il sort surtout la nuit, mais les pêcheurs le connaissent bien car il a tendance à détériorer les berges des rivières en creusant son terrier...

• **La grenouille :** si vous pêchez au bord de l'eau en période de reproduction, mieux vaut vous équiper de bouchons d'oreilles pour dormir, car un rassemblement de plusieurs centaines d'individus créée un véritable vacarme...

Un ciné à ciel ouvert

Ce moment de calme est aussi idéal pour observer le ciel un instant et s'amuser à reconnaître les étoiles et les grandes constellations ! Munissez-vous d'une carte évolutive afin de retrouver les astres visibles à la date de votre séjour. Pour une meilleure observation, éloignez-vous de toute lumière artificielle.

Le temps d'un premier bilan

À mi-parcours de votre petite aventure, il est déjà temps de tirer les premiers enseignements de cette journée de pêche. Quels sont les éléments qui ont bien fonctionné ? Avez-vous oublié des choses lors de votre départ ? Côté pêche, pourquoi le poisson n'a-t-il pas mordu aussi bien que vous l'auriez souhaité ? L'amorçage a-t-il été suffisamment bon et efficace ? Si vous avez cassé une ligne, le ferrage a-t-il été trop violent ou bien maladroit ? Le moulinet mal réglé ? Le bas de ligne trop fragile ?...

Essayez de tirer les leçons de votre partie de pêche du jour et améliorez ce qui peut l'être dès le lendemain (lecture de l'eau, discrétion, appât...). C'est aussi le moment de préparer de nouvelles lignes que vous pourrez tester lors de votre prochaine pêche ou améliorer celles qui vous ont peut-être fait défaut aujourd'hui.

La petite bibliothèque du pêcheur

Parce qu'après les nourritures terrestres, viennent celles de l'esprit, et surtout parce que la pêche est une formidable source d'inspiration littéraire, voici une sélection de lectures (romans, essais ou guides pratiques) à savourer bien au chaud dans votre duvet, la lampe frontale vissée sur le crâne et le sac à dos en guise d'oreiller...

Les classiques du roman d'aventures

Rien de tel qu'un bon roman d'aventures pour clore cette journée en pleine nature. Ces grands classiques, qu'ils traitent de pêche, de bateaux, de créatures marines ou tout simplement de grands espaces et d'exploits individuels renvoient tous à cette part de rêve enfantin qui vous a conduit jusqu'ici. Plongez dans l'aventure !

• *L'Île au trésor,*
Robert Louis Stevenson
LE roman d'aventure et d'initiation par excellence. À lire et relire encore et encore, qu'on soit adulte ou éternel ado.

• *Moby Dick,*
Herman Melville
Le récit dantesque de la chasse à la baleine à travers le prisme de l'obsession d'un homme pour un animal fantastique.

• *L'Appel de la forêt,*
Jack London
De grands espaces, des animaux sauvages, une nature omniprésente et une écriture épique. Plongez dans le Grand Nord.

• *Le Vieil Homme et la mer,*
Ernest Hemingway
Philosophique, dépouillé, faussement naïf et vraiment indispensable. Un MUST pour comprendre les liens complexes qui unissent le pêcheur à son poisson.

• **Pêcheurs d'Islande, Pierre Loti**
L'enfer de la pêche à la morue dans l'Atlantique Nord. Un tableau en cinémascope du destin de ces hommes qui quittaient tout pour suivre des bancs de poissons.

• **Premier de cordée,**
Roger Frison-Roche
La montagne dans ce qu'elle a de plus attirant mais aussi de plus implacable, à travers le récit initiatique d'un jeune homme voulant à tout prix devenir guide...

• **Robinson Crusoé, Daniel Defoe**
Seul dans votre tente, ce classique vous transportera loin de votre lieu de pêche sur les traces du naufragé le plus célèbre du monde et de son ami, Vendredi.

• **Les Aventures de**
Huckleberry Finn, Mark Twain
Le récit des exploits dont on a tous rêvé en faisant l'école buissonnière... Un classique superbement écrit.

• **L'Empire du Soleil,**
James Graham Ballard
Le destin d'un jeune garçon plongé dans la Seconde Guerre mondiale, emprisonné dans un camp de réfugiés et qui organise sa vie comme une aventure permanente.

Les indispensables du pêcheur
• **Le guide des poissons d'eau douce et de pêche,**
B.J. Muus, P. Dahlstrom
Un livre illustré pour approfondir vos connaissances concernant vos proies potentielles...

• **Le petit Larousse de la pêche en eaux douces,**
Michel Luchesi
Un guide complet pour aller plus loin dans les nombreuses techniques de pêche en eaux douces.

• **Le Grand livre Hachette de la pêche, Bernard Breton**
Un beau livre superbement illustré pour tout savoir sur la pêche en eaux douces.

La playlist du pêcheur

Une sélection de morceaux de musique à emporter pendant votre week-end, pour rêver au bord de l'eau ou vous endormir en douceur...

Du classique contemplatif

• **Nocturnes, Frédéric Chopin, par Maria João Pires**
Les notes du piano coulent comme une rivière et invitent à la rêverie au bord de l'eau, de jour comme de nuit.

Du jazz ensoleillé

Django Reinhardt, la discographie complète
Ambiance détente garantie et swing en bord de Marne avec le jazz manouche de Django.

Du rock idéaliste

• **Woodstock, vol. I et 2, Joan Baez, Jefferson Airplane...**
Au soleil couchant en été, rien de mieux que ce rock capté en live, teinté d'un optimisme jamais atteint depuis. Une référence incontournable.

De l'électronique zen

• **Digital Shades, M83**
De superbes nappes digitales, profondes et lumineuses comme les eaux d'une rivière...

De la folk inspirée

• **Memories of an Old Friend, Angus and Julia Stone**
Simple, sincère et douce, la musique d'Angus et Julia se prête à merveille à ces moments passés au plus proche de la nature.

De la country comme on n'en fait plus

• **Hank Williams, la discographie complète**
Prince du « honky tonck », la country des États du Sud, Hank Williams possède le don très particulier de vous plonger sur les rives du Mississippi dès les premières notes de ses titres.

La pêche à la carpe de nuit

Jamais complètement endormi, le carpiste est un noctambule qui ne s'arrête jamais de traquer son poisson fétiche. Mode d'emploi.

La loi

Depuis 1995, la loi autorise la pêche nocturne de la carpe du 15 mai au 15 octobre sur déroga-tion. Pour savoir si un site parti-culier autorise la pêche nocturne, le plus simple est de contacter directement l'AAPPMA dont il dépend.

La carpe la nuit

En été, lorsque la température est clémente, les carpe sont loin de dormir et leur activité nocturne est même assez vive ! Il arrive souvent qu'on puisse les observer

près des berges dans les herbiers où elles aiment se glisser.

Le matériel

Il s'agit du même matériel que vous utilisez pour pêcher la carpe le jour. Si vous investissez dans des détecteurs de touches électroniques et que vous prévoyez de pêcher la carpe de nuit, choisissez un modèle disposant à la fois d'une alerte sonore et lumineuse. Pour mieux repérer votre matériel, n'hésitez pas à y scotcher de petits bâtonnets fluorescents.

La technique de pêche

Vous devrez raccourcir vos lancers et surtout modifier votre appât. Afin d'éviter les touches causées par d'autres poissons que les carpes, vos appâts devront être plus gros que ceux utilisés en journée. Amorcez le soir avant que le soleil ne se couche pour bien repérer votre coup. Pendant la nuit le réamorçage est bien sûr possible, mais dans cas (comme pour lancer au bon endroit), il faudra auparavant avoir placé un repère sur la rive opposée qui vous indiquera la bonne direction. Pour juger de la distance, marquez votre fil avec un repère au niveau du moulinet. Évidemment la lampe frontale est indispensable pour vous éclairer et vous laisser les mains libres...

Le dernier jour et le retour de la pêche

Le soleil se lève sur le dernier jour de votre expédition
et vous tire d'un sommeil profond et salvateur,
après la longue journée d'hier. Pour autant, n'espérez pas
faire la grasse matinée au milieu des herbes hautes !
Si vous n'avez encore pris aucun poisson, aujourd'hui
« pas question de faire bredouille » comme disent
les pêcheurs !

Mais avant de lancer vos lignes à l'eau, les préparatifs
de votre départ devront être bouclés, afin de vous laisser
toute la journée pour pêcher et ramener de belles prises
chez vous... Démontage du bivouac, entretien du matériel,
stockage, transport du poisson, conservation, mais
aussi recettes de cuisine atypiques composent les thèmes
de cette dernière partie pour terminer cette aventure
en beauté et vous donner l'envie de recommencer.

Un réveil en pleine nature

Pas facile de sortir de son sac de couchage bien douillet pour affronter l'air frais du matin et l'humidité extérieure ! Voici donc quelques conseils pour démarrer votre journée du bon pied et faire le plein d'énergie avant de passer à l'action.

Un réveil en douceur

Malgré la fatigue et l'envie de rester au lit à profiter du calme des lieux, il faut vous rendre à l'évidence : un bon pêcheur se lève aux aurores !... L'heure idéale se situe entre une heure et demi et deux heures avant le lever du soleil. La pêche étant autorisée trente minutes avant le lever du jour, il n'y a vraiment pas de temps à perdre ! Malgré tout, inutile de vous ruer dehors dans l'air froid du matin. Prenez votre temps pour profiter de ce moment rare. Respirez l'air frais de la nuit, écoutez le silence et laissez votre corps s'habi-tuer à la température extérieure. Après avoir enfilé un pantalon et un sweat bien chauds, sortez de votre tanière et étirez-vous en faisant le tour de votre bivouac. Cette petite inspection vous permettra de vérifier que votre matériel est toujours à sa place et de ramasser d'éventuels déchets éparpillés par les animaux nocturnes qui auraient pu vider votre poubelle malgré vos précautions.

Le breakfast du pêcheur

Pour tenir le coup pendant cette matinée qui promet d'être longue, rien de tel qu'un bon breakfast 100 % british pour faire le plein d'énergie et vous réchauffer.

• 2 tranches de pain • 4 tranches de bacon • 2 œufs • 1 boîte de beans à la tomate • sucre • beurre salé • 1 sachet de thé Earl Grey

Commencez par faire griller les deux tranches de pain dans votre poêle sèche à feu vif. Une fois bien dorées, tartinez-les de beurre salé et gardez-les au chaud dans du papier aluminium. Faites bouillir de l'eau et préparez votre thé. En attendant qu'il refroidisse un peu, faites fondre une noix de beurre dans une poêle et laissez-y dorer les tranches de bacon. Une fois celles-ci bien grillées, ajoutez les œufs dans un coin de la poêle puis les beans dans un autre. Faites cuire à feu doux. Dans votre assiette, disposez le bacon et les œufs sur les tranches de pain, les beans en accompagnement. Dégustez le tout très chaud avec un thé sucré à votre goût.

Ni vu ni connu, le démontage du bivouac

Avant de lancer vos lignes, mieux vaut commencer par démonter votre bivouac afin de pêcher plus tranquillement jusqu'en fin de journée, surtout en été. Étape par étape, voici comment démonter et ranger de façon efficace votre matériel.

• Commencez par ranger l'intérieur de votre tente après avoir revêtu votre tenue pour la journée. Pliez matelas et sac de couchage bien serrés et posez-les au sec en attendant de les charger dans votre voiture. Ensuite, démontez votre tente en prenant garde à n'oublier aucune sardine et en essuyant la rosée avec une serviette que vous

rangerez avec votre linge sale dans un sac à dos. S'il a plu pendant la nuit ou qu'il pleut toujours, pliez votre tente telle quelle et pensez à la faire sécher en arrivant chez vous.

• Comme lors du départ, chargez en premier les objets les plus volumineux et terminez par les plus légers. Ne conservez avec vous que le matériel de pêche.

• Une fois la place nette, faites le tour du site et dispersez les cendres froides du foyer. Grattez la terre à cet endroit pour en faire disparaitre les traces.

• Rebouchez le trou qui vous a servi de toilettes avec de la terre et enlevez les repères que vous avez placés sur le chemin.

• Enfin, avec votre sac-poubelle, faites une dernière fois le tour de votre bivouac pour ramasser d'éventuels déchets qui vous auraient échappé. Fermez le sac et chargez-le dans le coffre de votre voiture.
Le but est de faire disparaître toute trace de votre passage et de rendre les lieux à la nature tels que vous les avez trouvés.

Déjà l'heure du départ...

Voilà plus de dix heures que vous pêchez et vous n'avez pourtant pas vu la journée passer, malgré la fatigue qui commence à poindre. Votre casse-croûte de midi est déjà loin et vos réserves sont à secs. Aïe ! Il va falloir penser à « plier les gaules » comme on dit ! À moins que vous ne vous laissiez tenter par le fameux « coup du soir »...

En théorie, la pêche peut se pratiquer jusqu'à une demi-heure après le coucher du soleil. Mais ce n'est pas une raison pour vous attarder au bord de l'eau jusqu'à la nuit parce que vous n'avez pas encore pris de poisson ! En hiver, le mieux est d'arrêter la pêche au moins une heure avant la nuit de façon à avoir le temps de ranger, démonter et charger votre matériel à la lumière du jour. Séchez vos cannes autant que possible, démontez les lignes et rangez vos mouches et autres leurres dans leurs boîtes. Rincez à grande eau vos seaux à amorce et chargez le tout dans le coffre de votre voiture. Vous pourrez effectuer un nettoyage plus minutieux de l'ensemble plus tard.

Le fameux « coup du soir »

C'est un des plus grands plaisirs du pêcheur en rivière... En été, quand les températures de la journée ont été trop élevées et que les poissons préférant les coins ombragés se sont faits rares au bout de votre ligne, une bonne technique consiste à tenter d'en capturer juste avant le coucher du soleil, au moment où l'atmosphère se rafraîchit un peu. Le coup du soir fonctionne particulièrement bien chez les poissons gobeurs qui raffolent des insectes grouillant au-dessus de l'eau au soleil couchant. Une fois votre équipement chargé, munissez-vous d'une canne à pêche légère équipée d'un moulinet ultraléger. Sauterelles et grillons font d'excellents appâts pour cette pêche tardive. Pour ramasser les grillons, rien de plus simple : au soleil de l'après-midi, agenouillez-vous dans l'herbe et repérez leurs terriers creusés dans la terre dont l'entrée n'excède pas un centimètre de diamètre. Autre signe qui ne trompe pas : l'herbe est coupée autour de leurs cachettes… Munissez-vous d'une branche très fine et introduisez-la dans le trou pour en faire sortir l'insecte. Puis stockez vos appâts vivants dans une boîte percée de petits trous avec de l'herbe fraîche.

Le soir, repérez les zones où les insectes volants se rassemblent au-dessus de l'eau et lancez votre appât discrètement au beau milieu de la nuée. Si un gobeur se trouve en dessous il ne manquera pas de mordre à votre ligne ! Prenez garde à votre ombre lorsque vous lancez et faites en sorte de toujours manœuvrer vers l'amont afin d'être systématiquement dans le dos des poissons, donc invisible…

Transportez votre poisson

Pendant la journée, utilisez une bourriche aérée remplie d'herbe fraîche dans laquelle vous placerez vos prises une fois tuées, puis lavées. Elles resteront ainsi à l'air libre et ne se dégraderont pas.

Quant au transport, une fois la journée finie, tout dépend de la durée de votre trajet. S'il est rapide, rincez une dernière fois les poissons, renouvelez simplement l'herbe de votre bourriche et rentrez chez vous. Si la route est plus longue, la glacière réfrigérée s'impose…

Une fois la partie de pêche terminée, il est important de ressortir son matériel pour faire un rapide inventaire de la casse éventuelle et un nettoyage complet des cannes et moulinets. À vos chiffons !

L'entretien des cannes à pêche

Si, avec les matériaux modernes, l'entretien des cannes à pêches n'est plus aussi indispensable que par le passé, certaines parties fragiles nécessitent cependant votre attention, comme la poignée en liège et les anneaux métalliques dans le cas d'une canne anglaise. Commencez par démonter la canne et nettoyer chaque brin à l'éponge avec de l'eau tiède et du produit vaisselle. Rincez ensuite à l'eau claire, puis laissez sécher chaque brin en position verticale sur un linge sec.

Vérifiez qu'aucun résidu (grain de sable, débris végétal...) ne s'est glissé dans les zones d'emmanchement des brins. Le moindre petit grain peut altérer le pas de vis et rendre votre canne inutilisable. Nettoyez soigneusement chacun d'entre eux avec la méthode décrite ci-dessus.

Ce sont les anneaux qu'il faut entretenir le mieux. Ils sont en contact permanent avec la ligne, et lors des remontées au moulinet, l'eau vient y déposer toutes sortes de résidus qui finissent par former une pellicule corrosive. Nettoyez donc soigneusement chacun des anneaux à l'aide d'un chiffon doux que vous ferez passer à l'intérieur du cercle métallique. Si cela ne suffit pas, aidez-vous d'un peu de détergent, puis séchez le matériel. Enfin, la poignée mérite elle aussi un soin particulier. Si elle est en matière synthétique, utilisez tout simplement une éponge et du détergent. Si elle est constituée de liège, comme c'est le cas avec les cannes à mouche par exemple, utilisez de l'eau de Javel que vous appliquerez en frottant avec une éponge. Rincez à grande eau.

Pour terminer, voici une petite astuce qui protégera de l'eau vos poignées en liège. Faites fondre un peu de paraffine sur une plaque métallique chauffée en dessous avec une bougie. À l'aide d'un chiffon propre, appliquez la paraffine liquide sur la poignée. Frottez ensuite énergiquement avec un chiffon sec pour redonner au liège son aspect normal. Vous pouvez aussi utiliser de l'huile de lin, mais dans ce cas, vous devrez laisser sécher votre canne au moins huit jours...

L'entretien des moulinets

Après chaque partie de pêche, retirez tout les débris que vous trouverez sur la surface extérieure de votre moulinet : végétaux secs, tâches de boue ou de vase, écailles de poisson, mucus, etc. Utilisez pour cela un chiffon, ou mieux encore un gros pinceau, pour être sûr d'accéder aux endroits les plus difficiles.

Démontez la bobine et recommencez l'opération pour la partie du moulinet qui se trouve juste en dessous. Rincez rapidement la bobine à l'eau claire et séchez-la avec un chiffon sec.

Lubrifiez la manivelle et les charnières du pick-up, remontez la bobine, puis passez un coup de chiffon sur l'ensemble.

Le nettoyage annuel, lui, impose un démontage complet du moulinet. Pensez donc à bien mémoriser chaque étape pour pouvoir le remonter facilement ! Lubrifiez toutes les parties articulées, les pignons, les axes et les roulements. Terminez en nettoyant le système de freinage et en remontant le moulinet.

L'hivernage du matériel de pêche

Pendant l'hiver, si vous ne pêchez pas, rangez votre matériel dans des housses en tissu dans un endroit aéré et sec (garage, abri de jardin, remise...). Quelques semaines avant la reprise, n'hésitez pas à ressortir votre attirail et à vérifier son état. Un peu de lubrifiant sur le moulinet et les emmanchements de canne sera bienvenu pour entamer une nouvelle saison.

Et le matériel du bivouac ?

L'ensemble du matériel de votre bivouac (tente, matelas, seaux divers et outils) doit aussi subir un bon nettoyage après la partie de pêche. Surtout si vous avez été contraint de plier votre tente sous la pluie ! Remontez-la dès votre arrivée et laissez-la sécher. Le lendemain, un brossage rapide devrait suffire à éliminer les traces de terre. Démontez le réchaud et dévissez le détendeur de la bouteille de gaz, puis rebouchez cette dernière. Enfin, sauts, dégorgeoir, fronde à amorces, épuisette, sièges, supports de cannes et accessoires divers devront être rincés à l'eau claire puis séchés avant d'être rangés, sous peine de voir apparaître un dépôt résiduel sur les parties ayant été en contact avec l'eau.

Du pêcheur au bricoleur

Quand le mauvais temps ne permet pas de sortir ou que la saison à la truite n'est pas encore ouverte, le pêcheur se transforme en bricoleur. Il passe ses longues soirées d'hiver à préparer de nouvelles lignes. Le moucheur, quant à lui, fabrique ses propres mouches ! Voici donc quelques trucs et astuces pour monter vos propres bas de lignes et créer vos premières mouches.

Les nœuds du pêcheur

Une sélection de nœuds qui vous seront bien utiles pour monter vos lignes. Chacun d'entre eux possède une fonction bien particulière...

Lier deux lignes ensemble : le nœud de tonneau. Lier le bas de ligne : le nœud de bas de ligne. Monter un hameçon ou un émerillon avec un nylon très fin : le nœud d'attaque.

Pour monter un hameçon à œillet ou une mouche sur le bas de ligne : le nœud de Grinner.

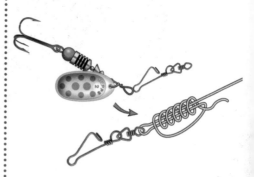

Pour lier deux lignes de diamètres différents : le nœud de Grinner double.

Pour monter les hameçons à œillet incliné : le nœud du major Turle.

Montez vos bas de ligne pour la pêche au coup

Voici une méthode simple qui vous explique pas à pas comment monter vos bas de ligne sans vous emmêler les pinceaux et éviter la crise de nerfs...

Le matériel

• Du nylon de la taille requise pour votre montage.
• Le flotteur qui convient au type de pêche pratiquée.
• L'olivette adaptée au poids que peut supporter votre flotteur.
• Une boîte de petits plombs mous.
• Une pochette d'hameçons de taille adéquate.
• Une paire de ciseaux.
• Une bouteille d'eau dont vous aurez coupé le goulot.
• Une pince d'électronicien.

Installez-vous à une table, à l'abri du vent et des courants d'air. Commencez par fixer les plombs ronds sur le nylon que vous déroulerez de sa bobine au fur et à mesure, à l'aide d'une petite pince d'électronicien. Ils doivent être parfaitement centrés sur la ligne et bien ronds ! Ne les écrasez pas avec la pince, sinon vous ne pourrez plus les faire coulisser le long de la ligne. Poursuivez en montant le flotteur. Vous devez passer le fil de nylon dans l'œillet situé au sommet du flotteur puis dans les deux guides de silicone permettant de maintenir sa quille à l'aplomb de la ligne. Fixez ensuite l'olivette, puis les autres plombs ronds, toujours en vous appliquant à les placer dans l'axe de la ligne.

Vérifiez l'équilibrage de la ligne en la plongeant dans la bouteille d'eau. La plombée coule au fond et tire le flotteur qui se dresse. La ligne est équilibrée si seule l'antenne du flotteur dépasse de l'eau. Si elle coule, ôter un ou plusieurs plombs. Si la moitié du flotteur dépasse, ajoutez un ou plusieurs petits plombs sous celui-ci.

Remontez ensuite votre ligne de plombs puis coupez le nylon excédentaire situé sous la zone où vous avez fixé ces derniers. Faites un nœud adapté pour lier la ligne au bas de ligne adéquat. Déroulez la quantité de fil nécessaire à la ligne puis coupez. Réalisez une boucle permettant l'accrochage au scion de la canne puis stockez votre réalisation sur un plioir. Vous pouvez en acheter dans le commerce.

Fabriquez vos propres mouches !

C'est encore une des particularités du moucheur que de fabriquer ses propres leurres. L'hiver, attablé devant une myriade de plumes, poils, hameçons, fils et micropinces, il passe des heures à imiter jusque dans les moindres détails les formes et couleurs des insectes dont raffolent truites et brochets. Attention, c'est une activité minutieuse qui réclame concentration et patience, mais qui devient très vite addictive...

Le matériel
Il peut vous paraître sophistiqué au premier abord du fait du jargon employé, mais rassurez-vous, il s'agit de petits outils faciles à utiliser et bon marché pour la plupart.
Un étau : il possède la particularité de tenir très fermement l'hameçon pendant que vous ajoutez plumes, laine ou matériaux synthétiques.

Un porte-bobine : il supporte la bobine dans le vide pendant que vous utilisez le fil. Grâce à lui vous avez les mains libres.

Une pince à hackles : elle vous permet de travailler les plumes (hackles) sur votre mouche.

Une paire de ciseaux de brodeuse : fins, très aiguisés, vous les trouverez en mercerie.

Deux « cous de coqs indiens » : il s'agit de plumes naturelles. Vous en trouverez facilement sur les sites internet consacrés au matériel de pêche à la mouche.

Du fil de montage : une bobine noire, une jaune, une rouge et une verte.

Du vernis à ongles incolore. Avec ce petit matériel de base, vous aurez la possibilité de monter presque une trentaine de mouches différentes !

La technique

Pour commencer, voici un exemple de mouche sèche facile à réaliser, qui vous permet de mettre en œuvre les techniques utilisées dans la fabrication de mouches plus élaborées. Tout d'abord, installez-vous dans un endroit bien éclairé et à l'abri du vent bien sûr.

1• Commencez par positionner votre hameçon dans les mâchoires de l'étau. Avec votre fil de montage, réalisez trois à quatre tours autour de la hampe de l'hameçon.

2• Positionnez le hackle sur le dos de la hampe, en orientant sa base vers le haut de l'hameçon et sa queue vers la pointe.

3• Placez correctement les cerques et enroulez votre fil de trois ou quatre tours pour les fixer.

4• Lâchez la soie, puis coupez les fibres au ras du corps central du hackle.

5• Remontez vers l'anneau de fixation de l'hameçon et serrez le montage par un nœud en fausse clef.

① ② ③ ④ ⑤ ⑥ ⑦

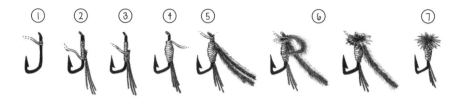

6• Enroulez le hackle quelques tours et bloquez l'ensemble avec un nœud de finition (voir illustration ci-dessus). Effectuez la même opération avec le second hackle.

7• Pour terminer, déposez une goutte de vernis sur la tête de votre mouche.

Le nœud du moucheur débutant

Comme il ne fait rien comme les autres pêcheurs, le moucheur utilise ses propres nœuds parfois un peu compliqués à réaliser. Voici cependant un nœud simple à exécuter qui vous permettra de remplacer le fameux « finishing whip », difficile à maîtriser.

I• Faites une boucle en passant le fil entre l'index et le majeur bien écartés et en tirant avec votre autre main sur la bobine de soie. Normalement cela forme un triangle.

2• Maintenez l'extrémité de la soie bien tendue d'une main, et de l'autre faites deux ou trois spires autour de la hampe de l'hameçon en vous rapprochant de la fixation.

3• Pour serrer votre nœud, maintenez la boucle bien tendue et tirez sur l'extrémité de la soie. Votre boucle va diminuer. Utilisez alors une aiguille à dubbing pour finir de serrer correctement le nœud.

À vos fourneaux !
La cuisine des poissons d'eau douce

De la rivière à la poêle à frire, il n'y a qu'un pas que de nombreux pêcheurs franchissent de temps en temps en passant outre la règle du no-kill. Qu'il s'agisse d'un repas improvisé au retour de la pêche ou d'un dîner entre amis que vous voulez épater, il existe un grand nombre de recettes de poissons. En outre, presque toutes les espèces que vous prendrez sont comestibles. Voici un ensemble de recettes incluant les poissons présentés en début d'ouvrage et quelques autres, telle l'anguille que l'on rencontre fréquemment dans nos rivières. Astuces, tours de main et basiques de la cuisine des poissons d'eaux douces complètent enfin ce chapitre pour faire de vous un as de la fourchette, maintenant que vous êtes un pro de la canne à pêche...

Préparez votre poisson

Avant de commencer, vérifiez l'état de votre poisson. Un certain nombre de signes vous montrent l'état de fraîcheur de votre prise :
• Les ouïes doivent être bien rouges.
• Le poisson doit être brillant.

• Les écailles doivent être bien accrochées à la peau.
• L'œil doit être bien bombé vers l'extérieur. S'il est plat, ou pire, convexe, abstenez-vous de consommer votre prise.
• L'abdomen doit être bien ferme et surtout pas gonflé.
• L'anus doit être fermé. Si vous observez de petits filaments qui

s'en échappent abstenez-vous de le cuisiner.

• À la moindre odeur d'ammoniaque, ne consommez pas votre poisson.

Dans tous les cas, l'idéal est de déguster votre poisson **le jour même** de sa capture. D'ailleurs un dicton de pêcheur dit à ce sujet : « Une truite du jour est une truite. Le lendemain ce n'est qu'un poisson... ».

Commencez par laver votre poisson à l'eau froide, puis séchez-le dans du papier absorbant. Ensuite, si la recette le requiert, ébarbez votre poisson avec des ciseaux. Cette étape consiste à couper les nageoires dans le sens inverse de leur déploiement de façon à ne pas se couper, car certaines espèces, comme la perche par exemple, possèdent des arêtes piquantes.

Si vous cuisinez l'anguille, vous devez la peler. Posez votre poisson sur une planche à découper, faites une incision derrière la tête puis sai-

sissez la peau. Attention, ce n'est pas facile car elle est très glissante ! Utilisez un chiffon s'il le faut, puis tirez avec une force constante vers la queue.

Pour la majorité des autres espèces, il faut écailler avant de passer à la suite. Remplissez votre évier d'eau froide, plongez-y le poisson puis, avec votre écailleur ou le dos de votre couteau d'office, exercez des mouvements allant de la queue vers la tête. Écaillez les deux faces et veillez à ôter toutes les écailles autour de chaque nageoire.

Videz l'eau de l'évier, rincez la bête, puis laissez couler un gros filet d'eau froide pour procéder à l'éviscération. Vous pouvez reprendre la technique expliquée dans la partie « Cuisinez les prises du jour ». Rincez le corps abondamment et grattez-en l'intérieur avec la pointe du couteau pour ôter les moindres résidus de sang. Séchez enfin le poisson sur du papier absorbant.

Certaines espèces comme la carpe ou la tanche possèdent un goût désagréable de vase qui peut être complètement supprimé si vous faites tremper votre spécimen une fois écaillé, lavé et vidé dans deux à trois bains d'eau vinaigrée. Entre chaque bain (qui peut durer jusqu'à une heure), lavez votre poisson.

Levez les filets

C'est la fierté de tout pêcheur ! Lever les filets d'un poisson est une opération délicate qui demande un bon coup de main et un couteau extrêmement bien aiguisé. Si vous suivez la méthode suivante, vous y arriverez facilement.

1• Faites une incision oblique à la base de la tête.

2• Depuis l'arrière de la tête jusqu'à la queue, incisez au couteau en suivant la ligne de l'arête

centrale. L'incision doit être droite et votre lame placée strictement sur le dos du poisson. Pour bien suivre la dorsale, appuyez le côté de la lame sur les arêtes.

3• Découvrez progressivement le poisson en ramenant le filet vers l'extérieur au fur et à mesure de votre avancée.

4• Découpez jusqu'à la queue en maintenant le filet découvert vers l'extérieur pour avoir une bonne vision de votre ligne de découpe.

5• Retournez votre poisson la tête orientée vers vous. Incisez la base de la queue sur toute sa largeur jusqu'à l'arête centrale sans la sectionner.

6• Plantez à nouveau la pointe du couteau sur le dos du poisson à la base de la queue et effectuez la même découpe que pour le premier filet en suivant la dorsale. Pour faciliter votre travail, posez

votre main bien à plat sur le flanc du poisson et progressez jusqu'à la tête parallèlement à l'arête dorsale.

7• Une fois les filets levés, veillez à bien ôter toutes les arêtes restantes avec une pince à épiler ou la pointe du couteau.

La cuisine des poissons d'eau douce

Voici dix-huit recettes de cuisines pour accommoder votre poisson, classées en trois catégories : des recettes rapides pour cuisiner au retour de la pêche, des recettes plus élaborées aux saveurs d'autrefois, et enfin des recettes plus complexes pour surprendre et épater vos amis lors des dîners.

Au retour de la partie de pêche...

Vous rentrez tout juste de votre petite expédition, une belle truite fario dans votre bourriche, un kilo d'ablettes au fond du panier et une faim de loup au creux du ventre. C'est l'heure de lâcher la canne à pêche pour passer derrière les fourneaux et accommoder vos prises sans chichis, avec des recettes calibrées pour les gourmands amoureux des plats simples.

— La friture de toujours

C'est le plat idéal à déguster entre amis à l'apéro, avec les doigts, en racontant ses aventures après une bonne journée de pêche...

Les ingrédients pour quatre personnes

• *800 g à 1 kg de petits poissons (goujons, ablettes, petits gardons)*
• *1 citron* • *farine*
• *huile de friture* • *sel, poivre*

Commencez par vider les poissonnets en utilisant la méthode déjà décrite. Vous pouvez laisser la tête s'ils sont de petite taille. Dans une poêle assez profonde ou une friteuse en fonte, faites chauffer de l'huile. Pour vérifier qu'elle est à bonne température, plongez-y un croûton de pain. Il doit dorer sans brûler.

En attendant, roulez doucement les poissons dans une assiette creuse contenant une bonne quantité de farine. Veillez à ce que chacun soit uniformément recouvert.

Faites frire les poissonnets par petites quantités en les plongeant dans l'huile chaude à l'aide d'une écumoire. Sortez-les quand ils sont bien dorés et durs, puis égouttez-les sur du papier absorbant. Réservez-les dans un grand plat creux que vous glisserez au four chaud (80° maxi-

mum) pour les conserver à température idéale. Procédez de la même manière avec le reste de la friture. Salez, poivrer et arrosez votre plat avec un trait de jus de citron puis servez bien chaud. Les petits poissons se sont transformés en beignets croustillants à la chair fondante.

À déguster avec

Un rouge sec comme un cahors, un côtes-du-rhône-villages saint-gervais ou chuschlan. L'été, à l'apéritif, un rosé légèrement fleuri, minéral et très frais remplacera avantageusement le vin rouge.

— Belle carpe à la moutarde

Avec sa simplicité et son côté « cuisine de maman », la carpe à la moutarde réchauffera tout le monde, les soirs d'automne et d'hiver après une partie de pêche dans le froid...

Les ingrédients pour quatre personnes

• 2 belles carpes pêchées du jour
• I oignon • I carotte

• I bouquet de persil frais
• I bouteille de vin blanc sec
• 3 cuillers à soupe de crème fraîche d'Isigny • 2 cuillers à soupe de moutarde à l'ancienne
• sel, poivre

Levez les quatre filets de vos carpes et réservez au frais.

Dans une casserole pleine d'eau froide, faites cuire en robe des champs quatre grosses pommes de terre.

Dans une autre marmite, préparez un court-bouillon avec l'oignon, la carotte, le persil haché, une pincée de sel et 250 ml de vin blanc. Portez à ébullition.

Dans une petite casserole, faites chauffer à feu vif la crème fraîche et 15 cl de vin blanc. Amenez à ébullition tout en remuant.

En parallèle, pochez vos filets dans le court-bouillon pendant 8 à 10 minutes. Gardez-les au chaud dans un grand plat creux couvert de papier d'aluminium placé au four à basse température (50 à 80° maximum).

Faites réduire la sauce tout en re-muant, puis ajoutez la moutarde à l'ancienne. Salez, poivrez.

Disposez les quatre filets dans un grand plat creux entourés des pommes de terre. Nappez le tout avec la sauce à la moutarde et servez très chaud. Les gros filets pochés conservent leur moelleux tandis que le goût du court-bouillon s'accorde parfaitement avec la saveur doucement piquante de la moutarde à l'ancienne...

À déguster avec

Le reste de la bouteille de vin blanc ! Idéalement, le vin sera donc sec mais de qualité plutôt moyenne (évi-tez les vins blancs de cuisine !). Un bordeaux blanc sec, un entre-deux mers ou un bon muscadet feront parfaitement l'affaire.

— Truites meunières du jour

Tous les pêcheurs vous le diront, une truite se mange le jour même ! Simple et rapide, la meunière révèle la truite pêchée une heure aupara-vant comme aucune autre recette...

Les ingrédients pour quatre personnes

- 4 truites fario tout juste sorties de l'eau et sacrifiées
- 8 pommes de terre
- 1 citron • farine
- 20 cl de lait • beurre
- sel, poivre

Faites cuire les pommes de terre dans une grande casserole remplie d'eau froide. Pendant ce temps, lavez les truites et videz-les soigneusement. Versez le lait dans un plat creux ou un saladier à fond large et salez. Mélangez bien. Trempez les truites dans le lait, puis passez-les dans la farine. Veillez à ce qu'elles en soient toutes bien recouvertes.

Une fois les pommes de terre cuites, passez-les au moulin manuel, puis ajoutez alternativement du lait puis du beurre salé, jusqu'à obtenir une consistance parfaitement lisse. Salez, poivrez. Réservez au chaud dans votre four à basse température (50 à 80° maximum). Vous pouvez

*recouvrir la purée de papier alu-
minium.Faites fondre une grosse
noix de beurre salé dans la poêle et
rôtissez-y les truites deux par deux.
Vous les verrez alors se courber et
se tordre, preuve de leur fraîcheur
absolue ! Salez, poivrez.*

*Servez les truites à l'assiette accom-
pagnées d'une bonne louche de purée et d'un trait de jus de citron. La
chair délicate du poisson relevée de
l'acidité du citron contrebalance
le goût rustique de la purée fait
maison...*

À déguster avec

*Un vin bien frais, plutôt sec comme
le blanc coteaux d'Aix-en-Provence
ou un sauvignon.*

— Carpe frite du Sundgau

Cette recette ultratypique d'Alsace
est un peu le « fish and chips »
français ! Au retour de la pêche,
c'est un plat très convivial à déguster à la coule entre amis ou en
famille, avec les mains grasses et la
sauce snack qui va avec...

Les ingrédients pour quatre personnes

• *1 grosse carpe d'environ
1,5 kg pêchée du jour* • *pommes
de terre* • *semoule de blé dur
très fine* • *2 citrons* • *huile
végétale* • *huile de friture
• beurre* • *sel, poivre
• pour la sauce snack : crème fraîche
épaisse, cornichons, vinaigre,
sel et poivre.*

*Commencez par faire cuire les
pommes de terre avec leur peau dans
une grande quantité d'eau froide.
Pendant ce temps, après avoir
écaillé, vidé puis lavé la grosse
carpe, débitez-la en darnes d'environ 1,5 à 2 cm d'épaisseur. Coupez
ensuite les darnes en deux au niveau
de l'emplacement de l'arête centrale.
Jetez-les dans un récipient assez
haut et profond contenant une
bonne quantité de semoule de blé
dur. Mélangez bien les darnes dans
la semoule pour les couvrir uniformément.*

Faites chauffer l'huile et vérifiez sa température en y plongeant un petit morceau de pain.

Pendant que l'huile chauffe doucement, vérifiez la cuisson des pommes de terre en y plantant la pointe de votre couteau. Elle doit s'enfoncer facilement, mais le cœur doit être assez ferme. Égouttez, puis passez sous l'eau froide pour stopper la cuisson. Coupez les pommes de terre en deux dans le sens de la longueur, puis en plusieurs morceaux allongés de façon à obtenir de longues frites un peu grossières.

Dans une grande poêle, faites fondre une grosse noix de beurre et un généreux filet d'huile végétale. Quand le mélange est chaud, placez-y vos frites et laissez cuire jusqu'à ce qu'elles présentent une belle couleur dorée assez sombre. Égouttez dans du papier présentent et placez au four à basse température.

Pendant ce temps, mélangez dans un bol le pot de crème fraîche avec plusieurs traits de vinaigre de vin et une dizaine de cornichons finement émincés. Salez puis poivrez.

Faites frire les darnes de carpe dans l'huile chaude, puis égouttez-les sur du papier absorbant. Servez à l'assiette en mettant les morceaux de carpe frite au centre, puis diposez autour les potatoes. Terminez en ajoutant une généreuse cuiller de sauce snack sur le côté.

À déguster avec les doigts évidemment, en trempant frites et carpe dans la sauce. Bien relevée, celle-ci apporte l'acidité suffisante pour faire ressortir le goût du poisson frit.

Vous pouvez aussi servir ce plat en version « à emporter » dans des cornets de papier, les frites au fond, la carpe par-dessus, le tout nappé de sauce !

À déguster avec

Un riesling bien frais ou un pinot rosé d'Alsace conviendront parfaitement. Sinon, une bière trappiste ou une Lager se marient aussi très bien avec cette recette.

— Truites fario en papillote

Diététique, la truite révèle une chair exceptionnellement savoureuse dans cette recette qui conserve au poisson toutes ses qualités gustatives...

**Les ingrédients pour
quatre personnes**

* 4 belles truites fario pêchées du jour • 4 tomates
* 2 échalotes du marché
* 2 gousses d'ail écrasé
* zeste de 2 citrons jaunes
* bouquet de persil frais
* chapelure • romarin
* huile d'olive • sel, poivre

Amenez votre four (ou votre barbecue) à 190° environ.

Pendant ce temps lavez et videz vos truites précautionneusement. Puis découpez quatre grandes feuilles de papier d'aluminium et déposez-y les truites.

Émincez les échalotes, hachez le bouquet de persil frais et le romarin. Beurrez les truites puis parsemez-les d'échalotes, de persil et de romarin. Salez et poivrez. Ajoutez les zestes de citron, puis refermez les papillotes. Veillez à ce que chacune d'entre elles soit hermétiquement close.

Dans un plat, disposez les tomates coupées en deux horizontalement. Sur le dessus, parsemez chacune d'elles d'ail écrasé, de chapelure, d'un peu de romarin et de persil haché. Salez, poivrez puis enfournez. Une fois les tomates parvenues à mi-cuisson mettez les truites au four pour une quinzaine de minutes. Dressez à l'assiette en plaçant les papillotes fermées au centre et les tomates de chaque côté.

Laissez vos convives ouvrir les papillotes et découvrir les arômes s'en échappant...

À déguster avec

Un rosé de Provence pas trop sec. Optez plutôt pour un vin assez fleuri au nez légèrement relevé d'agrumes.

— **Barbeau rôti au romarin**

Peu de recettes existent pour accommoder ce poisson dont on dit qu'il est plein d'arêtes... C'est vrai, mais le goût de sa chair extrêmement savoureuse fait vite oublié cet inconvénient !

Les ingrédients pour quatre personnes

....

• *1 gros barbeau d'environ 60 cm*
• *4 tomates du marché •*
2 oignons jaunes • 2 poignées de petits champignons de Paris
• *1 buchette de fromage de chèvre frais • quelques gousses d'ail • basilic frais*
• *romarin frais • huile d'olive vierge extra*

....

Levez les filets de votre poisson puis réservez-les au réfrigérateur. Hachez ensuite le basilic très finement et écrasez l'ail en purée. Mixez le fromage de chèvre, l'ail et le basilic dans le bol de votre mixeur en ajoutant progressivement l'huile d'olive jusqu'à obtenir une sorte

de mayonnaise. Attention à ne pas ajouter trop d'huile ! Versez votre sauce dans une petit casserole et réservez.

Préchauffez votre four à 160°. Émincez les oignons en tranches très fines et découpez les tomates en rondelles. Recouvrez votre plaque lèchefrite de papier de cuisson et déposez-y les rondelles d'oignons et de tomates arrosées d'un filet d'huile d'olive. Recouvrez avec les filets de barbeau légèrement arrosés d'huile, puis déposez-y quelques branches de romarin. Placez ensuite la plaque à four chaud pendant 20 minutes et contrôlez la cuisson des filets à l'aide de la pointe d'un couteau.

À 10 minutes de la cuisson de votre poisson, faites revenir dans une poêle les champignons de Paris émincés dans une noix de beurre. Juste avant de sortir les filets, réchauffez la sauce à feu doux en remuant.

Dressez le tout à l'assiette en superposant une couche de champignons, une couche d'oignons et de tomates, puis une autre couche de champi-

gnons, etc. Disposez à côté le barbeau et sa branche de romarin. Tirez un large trait de sauce près du filet. On déguste alternativement le filet et la sauce, puis la garniture qui se marie parfaitement à la chair blanche du poisson.

À déguster avec
Un vin rosé provençal assez sec et servi bien frais accompagnera à merveille cette recette aux saveurs méridionales.

Les bons petits plats d'autrefois...

Il fut un temps où l'on mangeait plus de poissons d'eau douce que de mer. Il fut un temps où l'anguille, la perche et le brochet étaient des mets de choix destinés aux grandes occasions et autres repas de famille. Voici donc quelques idées de recettes aux saveurs éternelles, histoire de retrouver le goût de la cuisine d'autrefois et de vous plonger dans les arcanes de la gastronomie version eaux douces.

— Véritables quenelles de brochet au beurre d'écrevisse
D'après une recette originale de Robert Duffaud, restaurant Le Vivarais (69).
C'est une institution de la gastronomie lyonnaise qui requiert un sacré tour de main mais laissera vos invités sans voix...

Les ingrédients pour six personnes

- *400 g de chair de brochet*
- *2 belles poignées d'écrevisses*
- *champignons des bois* • *4 œufs entiers* • *crème béchamel* • *350 g de crème fleurette* • *1 pot de crème fraîche* • *250 g de beurre* • *50 g de beurre fondu* • *noix de muscade* • *sel et poivre du moulin*

La veille de votre repas, après avoir levé les filets de votre brochet, écrasez la chair jusqu'à obtenir une pommade. Dans un saladier, mélangez celle-ci avec les quatre œufs entiers, puis la crème fleurette. Votre geste doit être énergique ! Enfin, incorporez le beurre fondu tout en émulsionnant. Assaisonnez, puis ajoutez un peu de noix de muscade râpée. Faites reposer 12 heures au réfrigérateur. Le lendemain, préparez un court-bouillon (voir la recette de la carpe à la moutarde) et pochez-y les quenelles à l'aide d'une grosse cuiller à soupe. Pour cela, formez à l'aide de la cuiller une sorte de petit ovale bien bombé avec la préparation de la veille.

Disposez ensuite chaque quenelle dans une petite cocotte individuelle arrosée de la sauce suivante : un tiers de sauce béchamel, un tiers de crème fraîche et un tiers de beurre d'écrevisse.

Préchauffez votre four à 180°. En attendant, émincez les champignons de saison et poêlez-les au beurre. Ajoutez-les dans les cocottes et enfournez. Au bout de 10 minutes, les quenelles auront gonflé et seront prêtes à être dégustées.

Servez très chaud et laissez les convives découvrir le moelleux étonnant de la quenelle associée à la saveur gourmande du beurre d'écrevisse...

Comment réaliser un beurre d'écrevisse ?

Si vous consommez des écrevisses, surtout ne jetez pas les coffres (le thorax, la tête et des pattes) ! Gardez-les au congélateur puis servez-vous-en pour faire un beurre. Pour cela, broyez-les à l'aide d'un pilon puis placez-les dans une casserole métallique avec la plaquette de beurre. Enfournez votre casserole couverte à 160°. Vérifiez que le beurre ne brûle pas, et, dès ébullition, baissez la température à 140°. Laissez au four 3 heures entre 100 et 140°. Filtrez et pressez pour extraire le maximum de suc des carcasses, puis ajouter de l'eau froide. Réservez au réfrigérateur. Le lendemain, recueillez le beurre solide à la surface de l'eau. Attention, le beurre d'écrevisse est à utiliser rapidement et supporte mal la congélation prolongée.

— Soupe de poissons de Loire

L'hiver, cette soupe-repas accompagnée de petits croûtons aillés est un remède efficace contre la grisaille et le froid. À déguster sous un plaid face à la cheminée...

Les ingrédients pour quatre personnes

....

• *assortiment de brochetons, carpeaux, gardons, tronçons d'anguilles, etc. (l'important c'est la variété et non la taille !)*
• *500 g de pommes de terre*
• *8 poireaux* • *2 oignons*
• *2 gousses d'ail* • *pain de campagne* • *1 bouteille de vin blanc de Cour-Cheverny*
• *1 bouquet garni frais de préférence* • *2 clous de girofle*
• *75 cl d'eau* • *huile*
• *beurre* • *sel, poivre*

....

Écaillez, videz et coupez les têtes des poissons. Coupez-les en tronçons. Émincez les blancs de poireaux, épluchez, lavez et découpez en morceaux les pommes de terre puis réservez. Dans une grande cocotte en fonte, faites fondre une belle noix de beurre, une cuiller à soupe d'huile et jetez-y l'oignon piqué de deux clous de girofle, le bouquet garni et les tronçons de poissons. Faites rôtir à feu moyen ou vif. Retournez les poissons et mélangez fréquemment le tout. Au frémissement, ajoutez 50 cl de vin blanc.

Dans une autre cocotte, faites suer les poireaux et le second oignon émincé. Égouttez les tronçons de poissons, puis ajoutez-les aux légumes dans la cocotte. Couvrez avec les pommes de terre.

Pendant ce temps, filtrez le bouillon du poisson et versez-le sur les pommes de terre. Ajoutez un peu d'eau pour recouvrir les morceaux de poissons et faire baigner les pommes de terre. Portez à ébullition et laissez cuire à cœur. Grillez de belles tranches de pain de campagne et frottez-y une gousse d'ail.

Disposez les tranches dans de grandes assiettes creuses, versez la soupe par-dessus, salez puis poivrez.

Dégustez très chauds les morceaux de poissons relevés avec le pain aillé...

À déguster avec

Le reste de la bouteille de cour-cheverny évidemment...

— **Filets de perche aux fines herbes**

Très fine et appréciée des connaisseurs, la chair de la perche s'accommode à la perfection avec les parfums intenses des herbes aromatiques. Une recette de bistrot au petit goût d'été...

Les ingrédients pour quatre personnes

• 800 g de filets de perche
• 8 belles pommes de terre
• 1 citron non traité • 2 gousses d'ail • ciboulette fraîche
• basilic frais • thym frais
• 1 verre de vin blanc sec
• beurre salé • sel, poivre

Émincez très finement la moitié de la ciboulette, du basilic et du thym.

Frottez les filets de perche avec ce mélange d'herbes, puis poivrez. Réservez au réfrigérateur une petite heure.

Pendant ce temps, placez les pommes de terre lavées et épluchées dans une grande casserole d'eau froide et faites-les cuire à cœur.

Faites fondre une grosse noix de beurre dans une poêle, avec le reste des herbes et les gousses d'ail écrasées. Ajoutez le jus du citron puis le vin blanc et mélangez à feu doux. Rajoutez une noix de beurre et montez à feu assez vif. Poêlez les filets de chaque côté très rapidement, puis baissez le feu et faites rôtir en retournant de temps en temps. Contrôlez la cuisson à l'aide de la pointe du couteau.

Servez les filets gratinés sur les bords et bien blancs au cœur. Le jus très aromatique des herbes relève la chair fine de la perche.

À déguster avec

Un œil-de-perdrix ! Il s'agit d'un vin rosé issu du cépage du pinot noir.

— Anguille à la provençale

Plongez dans le Grand Sud avec cette recette qui met à l'honneur un poisson trop souvent oublié des gastronomes. Bien relevée, l'anguille est un classique de la cuisine des mamans de Provence.

Les ingrédients pour six personnes

- *800 g d'anguille pelée et vidée*
- *200 g de riz camarguais*
- *4 tomates (de saison !)*
- *1 oignon • 1 grosse gousse d'ail*
- *1 bouquet de persil frais*
- *1 bouquet garni (thym, laurier, persil) • 1 grosse poignée d'olives noires • 1 verre de vin blanc sec • 2 cuillers à soupe d'huile d'olive vierge extra*
- *sel, poivre*

Hachez l'oignon finement et découpez les tomates en petits dés. Écrasez la gousse d'ail en purée et ciselez la moitié du bouquet de persil.
Dans une cocotte en fonte, faites suer l'oignon haché dans un large trait d'huile d'olive. Découpez l'anguille en tronçons, puis faites-les raidir dans les oignons.
Ajoutez ensuite les dés de tomates, le bouquet garni et la purée d'ail. Mouillez avec la moitié du verre de vin blanc et laissez mijoter à feu doux pendant environ une demi-heure. Dix minutes avant de servir, ajoutez les olives noires.
Pendant ce temps, faites cuire le riz dans une grande casserole d'eau salée amenée à ébullition. Égouttez et versez dans un plat creux. Au moment de servir, disposez au centre les morceaux d'anguille, recouvrez avec les olives et versez le bouillon dans un bol.
Convivial et simple, ce plat se déguste à l'ombre de la treille juste avant la sieste...

À déguster avec

Un blanc sec assez frais du type picpoul de pinet, vinho verde ou orvieto.

— Carpe à l'alsacienne

Une recette qui marie la carpe à un autre produit phare de la région : le riesling ! Un plat simple et authentique comme on aime les déguster en famille...

Les ingrédients pour quatre personnes

....

• *1 grosse carpe fraîchement pêchée • 300 g de champignons de Paris • 2 oignons • 2 gousses d'ail • 1 bouteille de riesling • 1 bouquet de persil • 3 cuillers à soupe de farine • 30 cl de crème fraîche épaisse • gingembre en poudre • huile d'olive • sel, poivre*

....

La veille de votre repas, videz et écaillez la carpe. Au besoin faites-la tremper pour en altérer le goût de vase. Levez les filets et détaillez-les en morceaux. Salez, poivrez, puis réservez au réfrigérateur jusqu'au lendemain.

Hachez le persil, pelez puis émincez les oignons et les gousses d'ail.

Faites-les dorer dans une poêle avec l'huile d'olive et trois cuillers à soupe de farine.

Lavez les champignons de Paris, pelez-les et émincez les en tranches fines.

Lorsque l'ail, le persil et les oignons sont bien dorés, mouillez avec la moitié du riesling puis ajoutez le gingembre, le sel et le poivre. Ajoutez les morceaux de poisson et faites cuire à feu vif et à découvert pendant 20 minutes.

Au bout de 10 minutes, ajoutez la crème fraîche, les champignons et laissez terminer la cuisson. Ajoutez à la fin les œufs et mélangez bien le tout.

Dressez dans un plat creux en nappant délicatement le poisson avec la sauce.

Vous pouvez déguster cette recette avec des pommes de terre en robe des champs ou une poêlée de petits légumes de saison.

....

À déguster avec
Un bon riesling.

Un dîner aux chandelles...

Comme leurs cousins des mers, les poissons d'eaux douces ont aussi leurs inconditionnels : de nombreux chefs et as de la toque leur ont dédié des recettes de haut vol, idéales pour un dîner en amoureux ou un repas de fête. Sélection.

— Dos de sandre poêlé et son mille-feuille de chou

D'après une recette originale de Philippe Lechat.

Le sandre est un des carnassiers les plus courtisés des pêcheurs, mais aussi des gastronomes. La faute à sa chair fine mise ici en valeur par un jus réduit de poulet...

Les ingrédients pour quatre personnes

• *1 beau sandre d'environ 1,5 kg*
• *200 g de poitrine de porc fumée*
• *300 g de marrons frais • 1 petit chou frisé • 1 échalote • 2 feuilles de brick • 4 dl de jus de poulet rôti • 100 g de beurre*

Lavez le poisson, puis levez les filets et coupez-les en quatre belles portions.

Séparez les feuilles du chou et mettez de côté les grosses feuilles vertes entières. Coupez le reste en lanières que vous ajouterez dans une casserole d'eau salée portée à ébullition. Faites-les cuire pendant 2 minutes. Rafraichissez à l'eau froide et égouttez.

Étalez les grandes feuilles vertes sur un plan de travail, puis avec un emporte-pièce rond, découpez-les en disques. Disposez-les sur votre lèchefrite couverte d'un papier de cuisson. Beurrez-les légèrement et enfournez votre plaque à 120° pour les dessécher.

Ciselez votre échalote et détaillez la poitrine de porc en petits lardons. Faites chauffer une noix de beurre dans une poêle et faites-y suer échalote et petits lardons. Ajoutez les lanières de chou et laissez cuire à feu doux pendant encore 5 minutes.

Incisez la coque des marrons et

enfournez à 180° pendant 5 minutes. Sortez-les du four, enlevez les
coques sans vous brûler, puis faites-
les cuire à nouveau dans le jus de
poulet rôti pendant 5 minutes.
Confectionnez des cornets à l'aide
des feuilles de brick. Pour cela, coupez les feuilles en triangle, enroulez-
les autour d'un cornet en inox et
faites-les cuire pendant 2 à 3 minutes au four à 180°. Enfin poêlez
les filets de sandre au beurre pendant 2 minutes.
Dressez ensuite chaque assiette
comme suit :

• Au centre disposez un petit mon-
ticule avec le chou lardé et déposez-y le filet.

• Présentez à côté une feuille de
choux craquante, surmontée de
chou lardé, puis d'une nouvelle
feuille de choux craquante, jusqu'à
former un petit mille-feuille.

• Disposez délicatement le cornet
de feuille de brick et garnissez-le
avec les marrons.

• Entre chaque élément, tracez un
trait de jus de poulet rôti.

À déguster du bout des papilles en
alternant chaque élément trempé
dans le jus de poulet rôti...

À déguster avec

Un vin blanc de Bourgogne : chablis,
auxey, côte-de-nuits-villages.

— Brochetons aux échalotes

Simple à réaliser, le côté surprenant de cette recette réside dans
la taille du petit brochet qui permet
à chaque convive d'avoir dans son
assiette un poisson entier !

Les ingrédients pour
quatre personnes

• 4 brochetons • 400 g de
tagliatelles fraîches • 4 échalotes
• 1 bouteille de vin blanc
• 20 cl de crème fraîche épaisse

Préchauffez votre four à thermostat 8.
Lavez, videz et étêtez les brochetons. Émincez finement les échalotes. Disposez ces dernières au
fond d'un plat à rôtir que vous aurez beurré généreusement. Alignez

les brochetons sur le lit d'échalotes puis mouillez avec le vin blanc. Enfournez le plat et laissez cuire pendant 30 à 40 minutes.

Faites bouillir une casserole d'eau salée. Ajoutez-y les pâtes fraîches pour la cuisson.

Sortez les brochetons du four et réservez au chaud dans un second plat couvert d'une feuille de papier d'aluminium.

Placez le premier plat sur feu vif et laissez réduire le jus de cuisson quelques minutes. Ajoutez ensuite la crème fraîche et fouettez pour lier la sauce. Passez cette dernière au chinois et réservez.

Dressez chaque assiette comme suit :

• Au centre, disposez un nid de tagliatelles fraîches.

• Mettez à côté un brocheton.

• Nappez chaque pièce de poisson avec la sauce.

Crème fraîche, vin blanc et saveur de la chair du brochet se révèlent très savoureux et accompagnent les pâtes à merveille...

À déguster avec

Un pouilly-fuissé est idéal avec ce plat.

— Rillettes de carpe maison

D'après une recette originale de Alain Alexanian.

En apéritif ou en hors d'œuvre, ces rillettes maison feront une entrée en matière idéale pour épater vos invités...

Les ingrédients

• 3 filets de carpe • 6 fonds d'artichauts cuits • 60 g d'amandes en poudre • 30 g de noisettes • 6 dattes fraîches • 1 botte de thym • 1 pot de yaourt nature • 120 g de mayonnaise maison • 4 g de maïzena • Tabasco • sucre en poudre • sel et poivre du moulin

Dans une grande poêle, éparpillez le thym avec un filet d'huile d'olive. Placez les filets de carpe sur une grille au-dessus du thym. Laissez cuire à

229

feu doux avec un couvercle, puis laissez refroidir.

Faites cuire les noisettes au four pendant 10 minutes. Sortez-les et frottez-les entre elles pour qu'elles perdent leur peau. Concassez-les à l'aide d'un rouleau à pâtisserie.

Coupez les fonds d'artichauts en lamelles fines tout en veillant à bien préserver leur forme ronde, puis mettez-les de côté après les avoir assaisonnés d'une vinaigrette moutardée maison.

Dans une casserole versez les amandes en poudre, couvrez d'eau salée, puis sucrez légèrement et portez à ébullition. Délayez ensuite la maïzena dans un peu d'eau et versez sur les amandes. Remuez au fouet le mélange pendant une minute à feu doux, retirez, puis rectifiez l'assaisonnement selon votre goût.

Dénoyautez les dattes et coupez-les en tout petits morceaux. Jetez-les dans une casserole, mouillez avec de l'eau et faites bouillir. Mixez avec l'appareil amande et laissez refroidir. Dans un saladier, fouettez ensemble le yaourt et la mayonnaise, puis émiettez la carpe par dessus. Salez, poivrez et ajouter le Tabasco selon votre goût.

Dans de petites assiettes, dressez comme suit :

• Trois lamelles d'artichaut, quatre cuiller de rillettes, trois lamelles d'artichaut, etc.

• Jetez un trait de sauce à côté.

Découvrez le visage ravi de vos convives à chaque bouchée de ces rillettes aux saveurs inattendues...

....

À déguster avec

Un vin blanc minéral pas trop sec, servi bien frais.

— Omble chevalier doré au beurre et sa vinaigrette d'agrumes

D'après une recette originale du chef étoilé Bernard Constantin, restaurant Larivoire (69).

Idéale pour un dîner en amoureux, cette recette résolument moderne propulsera vos papilles aux meilleures tables des grands chefs.

Les ingrédients pour quatre personnes

• 4 filets d'omble de 250 g chacun
• 4 carottes fanes, 4 navets fanes, 4 radis, quelques pois gourmands
• 110 g de polenta • 15 g de parmesan râpé • 1/4 de zeste d'orange haché • 1/4 de botte de coriandre hachée • 350 ml d'eau
• 20 g d'huile d'olive

Pour la vinaigrette d'agrumes

• 2 oranges • 1 tomate
• 1/2 botte de coriandre
• 20 cl de vinaigre balsamique
• 20 cl d'huile d'olive

Pour la réduction balsamique

• 1 cuiller à soupe de vinaigre balsamique • 20 g de sucre
• 10 g de glucose • 10 g de miel

Pour préparer la polenta, faites bouillir l'eau avec du sel, du poivre, les zestes et la coriandre. Incorporez la polenta et laissez dessécher 5 minutes sur le feu. Incorporez ensuite hors du feu l'huile d'olive et le parmesan. Sur une plaque, disposez la polenta en tranches de 5 cm d'épaisseur intercalées de papier film, et laissez refroidir. Détaillez ensuite la polenta en cylindre de 4 cm de diamètre à l'aide d'un emporte-pièce, puis découpez-en le centre avec un second emporte-pièce de 2 cm de diamètre. Farinez chaque petit « puit » ainsi obtenu. Faites-les poêler à l'huile, puis réservez.

Commencez la préparation de la sauce en taillant les oranges et les tomates en petits dés. Poêlez-les séparément à l'huile d'olive quelques secondes, puis réservez. Mixez ensuite l'huile d'olive, la coriandre fraîche et le vinaigre. Salez, poivrez et mélangez le tout.

Faites cuire ensuite les petits légumes à l'eau bouillante, puis poêlez-les au beurre.

Ôtez les arêtes des filets. Salez, poivrez. Saisissez-les au beurre dans une poêle, après les avoir enduits de farine.

Dressez ensuite chaque assiette comme suit :

• Disposez sur un côté deux cercles de polenta entourés de petits légumes.

• Déposez au centre une cuiller à soupe de vinaigrette, puis le filet d'omble.

• Enfin, décorez de quelques traits de réduction de balsamique.

À déguster avec

Un château-turcaud s'accordera à merveille avec ce plat complexe.

— Saumon mariné de Francine

Cette recette assez simple à réaliser fera un malheur lors des repas de fin d'année !

Les ingrédients

• 2 kg de filets de saumon sauvage • 100 g d'herbes de Provence • 500 g de sucre semoule • 20 g de mignonette de poivre • 1 kg de gros sel de Guérande

Dans un saladier, mélangez le sucre, le gros sel, la mignonette de poivre et les herbes de Provence.

Tapissez le fond d'un grand plat creux avec une couche de ce mé-lange et déposez un premier filet de saumon. Recouvrez d'une couche du mélange aromatique puis d'un autre filet. Alternez couches de saumon et de mélange, puis terminez par une épaisse couche de gros sel aromatisé.

Laissez reposer 24 heures dans une pièce fraîche. Sortez ensuite le saumon et grattez le sel qui s'y accroche. Disposez les filets dans un plat et laissez sécher 2 à 4 jours au réfrigérateur.

Au moment de servir, découpez les filets en fines tranches à l'aide d'un long couteau parfaitement aiguisé et dégustez avec du pain de campagne grillé.

À déguster avec

Un champagne bien frais ou un vin blanc de Bordeaux de type Château Turcaud.

— Omble chevalier à la crème

Assez abordable techniquement, cette recette de l'omble s'accompagne parfaitement d'épinards frais juste poêlés, les filets nappés de la sauce de cuisson...

Les ingrédients pour quatre personnes

• 4 ombles chevaliers de 200 à 300 g • 2 gousses d'ail • 1 bouquet de persil • 2 cuillers de farine • 2 verres de lait • 1 verre de crème fraîche • 30 g de beurre • sel, poivre

Lavez et videz les ombles chevaliers. Versez le lait dans une assiette creuse et la farine dans une autre. Trempez les poissons un par un dans le lait, puis dans la farine.

Placez-les dans une assiette légèrement farinée, salez et poivrez à l'intérieur comme à l'extérieur.

Dans une poêle, faites fondre le beurre et faites frire les poissons pendant 5 à 10 minutes sur chaque face selon leur taille.

Dressez ensuite les ombles dans un plat creux et conservez au chaud quelques minutes dans un four à basse température (50 à 80°).

Versez ensuite la crème fraîche dans la poêle et ajoutez l'ail et le persil hachés. Portez le tout à ébullition tout en remuant, retirez du feu et nappez les ombles avant de servir. Le craquant de la meunière s'allie à la perfection avec la douceur de la crème...

À déguster avec
Un vin blanc de Loire est idéal avec cette recette !

— Saumon de fontaine en portefeuille et ses gnocchis ricotta cresson

D'après une recette originale de Laurent Bouvier, restaurant l'Elleixir (69).

Un plat complexe et original qui met à l'honneur ce poisson de luxe qu'est le saumon dans une présentation audacieuse. Débutants s'abstenir !

Les ingrédients pour quatre personnes

• 4 pièces de saumon de fontaine • 1 paquet de pâte à ravioles

- 100 g de mousserons
- 4 échalotes • 1 jus de citron
- 2 dl de vin blanc • 1 branche
de verveine fraîche • 2 cuillers
à soupe de bouillon clair
- 1 cuiller à soupe de crème
fouettée non sucrée • 30 g de
beurre

Pour les gnocchis
- 500 g de ricotta • 50 g de
parmesan râpé • 1 œuf
- 30 g de farine • 30 g de purée de
cresson • 50 g de persil ébouillanté
et tamisé • 1 jus de citron
- 2 cl de fond de volaille
- 2 cl d'huile d'olive pour cuisson
- 30 g de beurre • sel, poivre

Ébarbez les saumons, ouvrez-les sur
le dos et retirez-en l'arête centrale.
Incisez les deux filets en dessous des
ouïes.

Déposez-les sur une plaque beurrée
recouverte d'un papier sulfurisé
et laissez cuire à 120° pendant
10 minutes. Arrosez fréquemment
avec le beurre.

Rassemblez tous les ingrédients

pour les gnocchis dans un saladier, assaisonnez et mixez le tout
jusqu'à l'obtention d'une pâte
lisse. Faites chauffer de l'eau salée
dans une casserole et, à l'aide de
deux cuillers, formez des quenelles.
Pochez-les dans l'eau frémissante.
Les gnocchis sont cuits lorsqu'ils remontent à la surface. Refroidissez-
les aussitôt sous l'eau glacée et
réservez-les sur une plaque huilée.
Pour la préparation des ravio-
lis, faites suinter rapidement les
mousserons à l'huile d'olive avec
les échalotes ciselées.

Dressez de petits tas sur les feuil-
lets de pâte à ravioles préalablement dorés à l'œuf. Fermez avec
un deuxième feuillet détaillé à
l'emporte-pièce. Pochez les ravioles
pendant 5 minutes dans un bouillon frémissant.

Commencez à préparer l'émulsion
de verveine en portant à ébullition
2 dl de vin blanc. Ajoutez deux
échalotes émincées préalablement
suées au beurre. Faites infuser la
verveine quelques minutes dans

ce mélange. Passez l'ensemble au mixeur, puis à l'étamine, et ajoutez une cuiller à soupe de crème fouettée non sucrée.

Dressez enfin vos assiettes comme suit :

• En bordure, déposez le poisson et les gnocchis.

• Au centre de l'assiette, ajoutez les ravioles et versez quelques cuillers d'émulsion.

Servez bien chaud et laissez vos invités découvrir les saveurs raffinées des gnocchis et du saumon...

....

À déguster avec

Un vin blanc de Bourgogne, comme un chablis par exemple.

Conclusion

Ça y est, vous voilà enfin rentré. Les lignes sont démontées, le matériel est à l'hivernage et la maison est encore pleine des parfums de votre festin. Au calme, vous vous repassez le film de ce week-end et votre esprit est encore là-bas, au bord de la rivière. Les sensations de pêche sont vivaces et pour peu que vous repensiez à votre première prise, votre cœur s'emballerait déjà ! La machine à fabriquer des souvenirs est en marche...

C'est le moment de faire le point, le bilan de votre petite aventure. Tout ne s'est pas passé comme prévu ? Vous êtes rentré bredouille ? Vous avez cassé vos lignes ? Vous avez perdu plusieurs prises à cause d'un mauvais ferrage ? Posez-vous les bonnes questions avant de remiser votre matériel pour de bon, découragé par une première expérience infructueuse. Le tout ici est de tirer les enseignements de cette première partie de pêche pour faire de vous un meilleur pêcheur. Tous les grands amateurs vous le diront : il n'y a rien de pire que de rentrer bredouille. Et pourtant, le samedi suivant, tous retourneront au bord de la rivière tenter une nouvelle fois leur chance, le cœur rempli d'espoir. Durant toute la semaine, plutôt que de ruminer sur un échec, tous chercheront à améliorer leur technique de pêche, à analyser les coups manqués et les bas de lignes perdus. La pêche en eaux douces est une activité dont les secrets ne s'acquièrent qu'avec l'expérience, de façon totalement empirique. Il vaut presque mieux d'ailleurs commencer par une partie de pêche décevante qui induira chez vous un questionnement formateur plutôt que par un succès trop éclatant qui vous fera oublier que, face à la nature, le pêcheur doit toujours s'adapter, se remettre en question, changer ses habitudes... En un mot : apprendre.

Un apprentissage long et passionnant qui illustre de façon ironique la quête « addictive » du pêcheur : en cherchant à faire mordre le poisson, c'est vous, le pêcheur, qui avez succombé à l'appât et avez mordu à l'hameçon. Ça y est, vous êtes accro ! Bonnes pêches...

Crédits photographiques

• **Couverture :** © lynea – Fotolia.com • **Intérieur :** p. 8 : © Rémy MASSEGLIA - Fotolia.com ; p. 12 : © sablin - Fotolia.com ; p. 16 : © Visions-AD - Fotolia.com ; p. 18 : © Ulrich Müller - Fotolia.com ; p. 21 : © Gabriele Z. - Fotolia.com ; p. 47 : © max5128 - Fotolia.com ; p. 49 : © Arnaud LATHUILLE - Fotolia.com ; p. 51 : © Piotr Wawrzyniuk - Fotolia.com ; p. 54 : © kav777 - Fotolia.com ; p. 58 : © jerome bono - Fotolia.com ; p. 60 : © Rémy MASSEGLIA - Fotolia.com ; p. 62 : © sablin - Fotolia.com ; p. 64 : © Cyril Comtat - Fotolia.com ; p. 67 : © Rémy MASSEGLIA - Fotolia.com ; p. 74 : © Pascal Huot - Fotolia.com ; p. 75 : © cpask - Fotolia.com ; p. 76 : © xtr2007 - Fotolia.com ; p. 77 : © Rémy MASSEGLIA - Fotolia.com ; p. 79 : © Lsantilli - Fotolia.com ; p. 80 : © magogiuppy - Fotolia.com ; p. 81 : © Rémy MASSEGLIA - Fotolia.com ; p. 82 : © jedphoto - Fotolia.com ; p. 83 : © Patrick J. - Fotolia.com ; p. 84 : © Joshua Rainey - Fotolia.com ; p. 85 : © tipiti - Fotolia.com ; p. 86 : © Rémy MASSEGLIA - Fotolia.com ; p. 90 : © skouatroulio - Fotolia.com ; p. 91 : © blas - Fotolia.com ; p. 92 : © Nneirda - Fotolia.com ; p. 93 : © Aliaksei Lasevich - Fotolia.com ; p. 94 gh : © Olivier Le Moal - Fotolia.com ; p. 94 gb : © stockerman - Fotolia.com ; p. 94 d : © orage57 - Fotolia.com ; p. 95 gh : © photlook - Fotolia.com ; p. 95 gb : © Lyne - Fotolia.com ; p. 95 d : © shenk1 - Fotolia.com ; p. 96 g : © gnilenkov - Fotolia.com ; p. 96 d : © floris70 - Fotolia.com ; p.97 © Andreas Zachhuber - Fotolia.com ; p. 101 : © Arnaud LATHUILLE - Fotolia.com ; p. 104 : © Boris - Fotolia.com ; p. 105 : © inacio pires - Fotolia.com ; p. 106 : © Montferney - Fotolia.com ; p. 108 : © pressmaster - Fotolia.com ; p. 109 : © © Maxim Petrichuk - Fotolia.com ; p. 110 : © Stanislav Komogorov - Fotolia.com ; p. 113 : © bleudardoise - Fotolia.com ; p. 116 : © Monkey Business - Fotolia.com ; p. 119 : © lutz - Fotolia.com ; p. 121 : © Monkey Business - Fotolia.com ; p. 123 : © Andrey Nekrasov - Fotolia.com ; p. 126 : © Sergey - Fotolia.com ; p. 129 : © ArenaCreative - Fotolia.com ; p. 131 : © Delphimages - Fotolia.com ; p. 132 : © Jacques PALUT - Fotolia.com ; p. 136 : © Pascal Huot - Fotolia.com ; p. 139 : © Sandra Cunningham - Fotolia.com ; p. 141 : © A. Louche - Fotolia.com ; p. 147 : © Cyril Comtat - Fotolia.com ; p. 155 : © auremar - Fotolia.com ; p. 157 : © floris70 - Fotolia.com ; p. 159 : © sablin - Fotolia.com ; p. 168 : © bluesky6867 - Fotolia.com ; p. 173 : © Nadiyka - Fotolia.com ; p. 179 : © nfrPictures - Fotolia.com ; p. 183 : © Laurent - Fotolia.com ; p. 184 : © hitman1234 - Fotolia.com ; p. 190 : © Zsolnai Gergely - Fotolia.com ; p. 192 : © photop5 - Fotolia.com ; p. 196 : © zybilo - Fotolia.com ; p. 203 : © PiX'art photographie - Fotolia.com ; p. 209 : © pp76 - Fotolia.com ; p. 213 : © Christophe Fouquin - Fotolia.com ; p. 235 : © auremar - Fotolia.com.

• Illustrations de Jean-Paul Doron, à l'exception des illustrations p. 154, 204 et 205 de Christian Imbert.

~⑤ *Remerciements* ⑨~

L'auteur tient à remercier François Corno et l'AAPPMA de Saint-Brieuc, Quintin & Binic, Bernard Charret du restaurant Les Chandelles Gourmandes, Jean-Christophe Cormorèche et l'Association pour le Développement de l'Aquaculture et de la Pêche en Rhône-Alpes (ADAPRA) de Lyon, Jean-Luc & Yves du lac de Guerlédan, la boutique Espace Pêche de Langueux, et Francis & Francine Gicquel pour leurs souvenirs de pêche.

Imprimé par Estella Graficas, Espagne
23-1122-01-3
Dépôt légal : avril 2013
ISBN : 978-2-01-23-1122-0